WLADIMIR KAMINER
Mein deutsches Dschungelbuch

Buch

Furchtlos durchstreift ein Mann mit einer schwarzen Aktentasche voller Geschichten unter dem Arm die entlegensten Winkel des Landes. Seine Reisen führen ihn nach Weikersheim und Sömmerda, nach Rotenburg an der Wümme oder in das geheimnisumwitterte Waldbröl, dessen Name kein Sterblicher je vernommen hat. Und in Dutzende weiterer Orte, von denen uns ebenfalls nie eine Kunde erreicht hätte, gäbe es nicht ihn: Wladimir Kaminer. Als Forscher und Geschichtenerzähler ist er viele Bahnstationen von Berlin entfernt quer durch die deutsche Provinz unterwegs. Mit klarem Blick, einem unverwüstlichen Sinn für Humor und mit viel Poesie nimmt er sich dieser exotischen Regionen an. Seine Geschichten sind voller unvergesslicher Details und universeller Wahrheiten des menschlichen Daseins. Da ist die Autogrammkarte von Roberto Blanco, die seit Anbeginn der Zeit in jedem Hotel hängt, nur das harmloseste Beispiel für die Eigentümlichkeiten und Abgründe deutscher Kleinstädte.

Autor

Wladimir Kaminer wurde 1967 in Moskau geboren und lebt seit 1990 in Berlin. Seine Geschichten erscheinen in zahlreichen Zeitungen und Zeitschriften, der Autor moderiert die Sendung »Russendisko Club« auf RBB Radio Multikulti und ist nicht zuletzt berühmt für seine mitreißenden »Russendisko«-Abende. Die gleichnamige Erzählsammlung hat wie seine weiteren Bücher mittlerweile Kultstatus.

Von Wladimir Kaminer bei Goldmann lieferbar:
Russendisko. Erzählungen (54175) · Schönhauser Allee. Erzählungen (54168) · Militärmusik. Roman (45570) · Die Reise nach Trulala. Erzählungen (45721) · Helden des Alltags. Erzählungen (mit Fotos von Helmut Höge, 54214) · Frische Goldjungs. Hrsg. von Wladimir Kaminer. Erzählungen von Wladimir Kaminer, Falko Hennig, Jochen Schmidt u.v.a. (54162) · Ich mache mir Sorgen, Mama. Erzählungen (46182) · Karaoke (54243) · Küche totalitär: Das Kochbuch des Sozialismus von Wladimir und Olga Kaminer (54257) · Ich bin kein Berliner: Ein Reiseführer für faule Touristen (54240) · Mein Leben im Schrebergarten (gebundene Ausgabe, 54618)

Wladimir Kaminer

Mein deutsches Dschungelbuch

GOLDMANN

Die Originalausgabe erschien 2003
unter dem Titel »Mein deutsches Dschungelbuch«
im Manhattan Verlag

FSC

Mix
Produktgruppe aus vorbildlich
bewirtschafteten Wäldern und
anderen kontrollierten Herkünften

Zert.-Nr. SGS-COC-1940
www.fsc.org
© 1996 Forest Stewardship Council

Verlagsgruppe Random House FSC-DEU-0100
Das FSC-zertifizierte Papier *München Super* für Taschenbücher
aus dem Goldmann Verlag liefert Mochenwangen Papier.

5. Auflage
Taschenbuchausgabe Oktober 2005
Copyright © der Originalausgabe 2003
by Wladimir Kaminer
Copyright © dieser Ausgabe 2003
by Wilhelm Goldmann Verlag, München,
in der Verlagsgruppe Random House GmbH
Umschlaggestaltung: Design Team München
AB · Herstellung: Str.
Druck und Bindung: GGP Media GmbH, Pößneck
Printed in Germany
ISBN: 978-3-442-45945-2

www.goldmann-verlag.de

Inhaltsverzeichnis

Inhalt

Vorwort

Die ersten zehn Jahre in der Bundesrepublik verbrachte ich in Berlin. Und jedes Mal, wenn wir mit Freunden in der Kneipe saßen und über Deutschland redeten, wollte mir keiner zuhören: »Du kennst dieses Land doch überhaupt nicht, Berlin ist nicht Deutschland, und der Prenzlauer Berg erst recht nicht. Du hast keine Ahnung, was hier wirklich los ist«, meinten sie.

»Was ist denn der Prenzlauer Berg, wenn er nicht Deutschland ist?«, fragte ich.

»Ein Schwabenland im Herzen Europas«, »ein Künstlernest«, »des Deutschen inneres Exil«, »das Russendorf«, meinten meine deutschen Freunde und lachten.

Ich hatte damals keine große Lust, in die Provinz zu fahren. In der Millionenstadt Moskau aufgewachsen, später in die Millionenstadt Berlin gezogen, hielt ich nicht viel von einem »glücklichen Dasein auf dem Land«. Der Alltag in einer Kleinstadt, wo alle einander kennen, alle gleichzeitig ins Bett gehen, gleichzeitig aufstehen und wo der Briefträger mit seinem Vornamen begrüßt wird, kam mir gruselig vor. In Russland war ich immer davon überzeugt gewesen, dass alle meine Landsleute nur einen Traum hatten, nämlich nach Moskau zu ziehen. Gott sei Dank schaffte das nicht jeder – nur jeder Zehnte. In Deutschland stellte ich mir die Situation ähnlich vor. In der Provinz würden wahrscheinlich nur diejenigen leben, die aus finanziellen, privaten oder gesundheitlichen Gründen nicht in der Lage waren, nach Berlin oder München zu ziehen, dachte ich naiv.

Vor drei Jahren, als ich mein erstes Buch »Russendisko« herausbrachte, bekam ich die Gelegenheit, den Großraum Deutschland näher kennen zu lernen, weil mich nacheinander Hunderte von Buchläden, Kulturhäusern, Theatern und ländlichen Clubs zu einer Lesung einluden. Ich fuhr nach Langen und Wellmar, nach Weinberg, Waldbröl, Halberstadt und Hamm und las vor kleinem Publikum. Selbst meine deutschen Freunde wussten nicht immer, wo diese Orte lagen. Ich dagegen wurde zu einem Deutschland-Experten.

»Also Arnsberg, das ist im Süden von Nordrhein-Westfalen, ungefähr 40 Kilometer von Dortmund Richtung Süd-Ost!«, berichtete ich beispielsweise meinen Freunden.

Meine Meinung über die Provinz hat sich dabei mit der Zeit gründlich geändert. Inzwischen weiß ich, dass die Menschen sich überall gerne aufhalten, ihren Wohnsitz, wo immer er auch ist, über alles lieben und sich ein glückliches Leben woanders gar nicht vorstellen können.

Im schlimmsten Provinz-Alptraum würde ihnen nicht einfallen, nach Berlin oder München auszuweichen.

Auf meinen Lesereisen wurde ich überall freundlich empfangen und neugierig aufgenommen, doch unsere hauptstädtische »Russendisko« war bald nirgendwo eine Überraschung mehr. Selbst in der tiefsten Provinz hatten die Omas und Opas schon die Nase voll von Russendiskos. Meine Landsleute, die es in jedem kleinen deutschen Dorf mittlerweile gibt, haben mir nahezu überall den Überraschungseffekt versaut. Wohin ich blickte, fand ich Russen und Russendiskos – an den gottverlassensten Orten. Trotzdem pendelte ich weiter durch Deutschland, und lernte jeden Tag neue Leute und bisher unbekannte Orte kennen. Das Land war voller Geschichten. Mir wurde klar, es war an der Zeit, ein neues Buch zu schreiben. Nicht irgendeines, sondern ein Buch über die deutsche Provinz. Also fing ich an, mir Notizen für ein »Deutsches Dschungelbuch« zu machen. Die ICEs und Interregios wurden zu meinem wichtigsten Arbeitsplatz. Bald wusste ich in allen Zügen, wo das beste Abteil zum Schreiben war. Die unzähligen Hotelzimmer wurden zu meinem zweiten Zuhause. Hier ging ich nachts noch einmal die krakeligen Notizen durch.

Es war kein leichter Job. Unvorbereitet, ohne jegliches geographische und historische Wissen und nur wenig dialektgeschult tourte ich landauf, landab. Je länger ich unterwegs war, umso größer wurde meine Unkenntnis. Das deutsche Bild zerfiel in Tausende kleiner Puzzleteile. Wenn ich, was vorkam, mehr als sieben Orte an einem Stück abklapperte und so jeden Tag in einem neuen Dorf landete, verlor ich oft gänzlich den Sinn für Realität und fühlte mich wie ein Astronaut, der sein Raumschiff nicht mehr im Griff hat. Alles rauschte an mir vorbei, unzählige Wohneinheiten mit eigenartigen Sitten, Vorlieben und Macken, eigenen Helden und Verbrechern. Mal erkannte ich eine Landschaft plötzlich wieder, mal wusste ich überhaupt nicht mehr, wo ich war. Abends bei den Lesungen brachte ich die Namen der Orte durcheinander.

»Ich bin zum ersten Mal in Nordhorn«, begann ich.

»Aber Sie sind gar nicht in Nordhorn, Sie sind in Nordheim«, konterte das Publikum.

Egal, dachte ich, entschuldigte mich und las meine

Geschichten vor. Die Reaktionen waren sehr unterschiedlich, die Fragen dagegen fast immer die gleichen:

»Wie haben Sie unsere Sprache gelernt?«, wunderte sich das Publikum.

»Haben Sie nicht Heimweh?«, »Träumen Sie auf Deutsch oder auf Russisch?«, »Wie gefällt es Ihnen hier bei uns in Deutschland?«

Je kleiner der Ort, umso überzeugter waren die Bewohner, dass sie im einzig wahren Deutschland lebten. Aber zwanzig Kilometer weiter sah dieses Deutschland schon ganz anders aus.

Ich schrieb an meinem Buch weiter, suchte nach typischen Merkmalen, nach Allgemeinheiten und geistigen Knotenpunkten, die dieses Land zusammenhielten. Das, was ich fand, war oft skurril, manchmal erstaunlich und natürlich immer sehr subjektiv. Ich erinnerte mich in diesem Zusammenhang an die Tagebücher des russischen Schriftstellers von Wisin. Er hatte die Neigung, aus realen Erlebnissen falsche Schlussfolgerungen zu ziehen. Als er vor rund hundert Jahren mit der ersten deutschen Eisenbahn von Nürnberg nach Fürth fuhr, sah er, wie in seinem Waggon eine große rothaarige Dame einen Jungen beschimpfte und ihn an den Ohren zog. Der Junge schrie vor Schmerz, aber ein Mann, der neben dem Schriftsteller saß, hob nicht einmal den Kopf. Er las konzentriert weiter in seiner Zeitung.

»Die deutschen Frauen haben rote Haare und schlagen gern ihre Kinder«, schrieb der russische Reisende später in sein Tagebuch, »die Männer haben eine Glatze, sie sind ruhig und lesen leidenschaftlich gerne Zeitung.«

Trotz vieler Zweifel wurde mein »Dschungelbuch« immer dicker. Zu Hause im Prenzlauer Berg las ich diese Geschichten meinen Freunden, Kollegen und Nachbarn vor.

»Genau so habe ich mir Bitterfeld immer vorgestellt«, sagte der eine.

»Also Sinsheim habe ich eigentlich ganz anders in Erinnerung«, bemerkte ein anderer.

»Wieso hast du gar nichts über Dinslaken geschrieben? Da komme ich nämlich her!«, fragte ein Dritter.

Sie hörten aber weiter zu, lachten und schüttelten die Köpfe: »Das ist zu skurril, das kann doch nicht wahr sein, das gibt es nirgendwo. Das ist nicht Deutschland, was du da beschreibst.«

Einige wenige haben ihren Heimatort in diesen Geschichten aber doch wieder erkannt, was mich wiederum ermutigte, dieses vorliegende Dschungelbuch zu Ende zu schreiben, obwohl es gar kein Ende haben kann.

Quittenschnaps
(Weikersheim)

Die Justizvollzugsanstalt Straubing feierte ihr hundertjähriges Bestehen. Eine umfangreiche Ausstellung im Keller der Stadtbibliothek zeigte die beeindruckende Entwicklung, wie aus einem primitiven Zuchthaus ein moderner bayerischer Strafvollzug wurde. Zur Eröffnung der Ausstellung sollten der bayerische Justizminister sowie alle noch lebenden ehemaligen Mitarbeiter des Knasts eingeladen werden. Ich sehe mir zu Hause oft neue Horrorfilme auf Video an und wäre gerne zu dieser Veranstaltung gegangen, konnte aber nicht: Ich musste weiter nach Weikersheim fahren.

Im Straubinger Hotel hatte ich mehrmals versucht, ein Weikersheim auf der Karte zu finden. Vergeblich. Wahrscheinlich war meine Karte zu ungenau und Weikersheim zu klein, oder ich zu ungebildet und ungeduldig. Am Bahnhof fragte ich die Fahrkartenverkäuferin nach einer günstigen Zugverbindung und war überrascht von dem vielfältigem Angebot: Ich konnte nach Weikersheim über Platting, über Nürnberg und Crailsheim fahren, aber auch über Regensburg, Würzburg, Elpersheim und Lauda. Alle diese Städte waren mir unbekannt, ihre Namen klangen für mich wie die Namen verschiedener Käsesorten, zum Sonderpreis in einer Tüte zusammengepackt. Also fuhr ich einfach los – mit dem Regionalexpress durch die süddeutsche Pampa.

Draußen hatte es mindestens dreißig Grad, die Sonne knallte durch die Fenster, keine einzige Wolke weit und breit. Am Crailsheimer Bahnhof im Busch verkaufte ein alter Indianer Pommes mit Ketchup und Coca-Cola. Nach und nach verließen alle Einheimischen den Zug, bis ich allein im Waggon blieb und unruhig wurde. Die Abstände zwischen den Stationen wurden immer kürzer, die Ansagen immer undeutlicher. Alle zwei Minuten hielt der Zug an irgendeinem kleinen, manchmal überhaupt nicht erkennbaren Bahnhof. Ich steckte den Kopf aus dem Fenster und suchte vergeblich nach einem Schild mit dem Namen des Städtchens. Der Lokomotivführer sagte zwar die Stationen durch die Lautsprechanlage an, trotzdem verlor ich die Orientierung. Entweder sprach er einen mir nicht zugänglichen Dialekt, oder er kaute jedes Mal an einer Maultasche – ich konnte jedenfalls kein

Wort verstehen. Alles aus seinem Munde klang wie »Schuschihein« für mich. Laut Fahrplan sollten wir Weikersheim schon längst erreicht haben. Es hätte aber sein können, dass wir zu spät bzw. zu früh dran waren. Nach drei weiteren »Schuschihein« beschloss ich, einfach auszusteigen. Der Zug fuhr immer schneller, er hielt jetzt nur noch für Sekunden und raste sofort weiter – von einem »Schuschihein« zum nächsten. Die Wahrscheinlichkeit, dass ich im falschem Schuschihein ausstieg, war groß, trotzdem sprang ich beim nächsten Halt raus. Und tatsächlich war ich eine Station zu früh ausgestiegen. Doch Weikersheim war nahe. Ich konnte den Ort sogar schon sehen.

»Noch zwei, maximal drei Kilometer durchs liebliche Taubertal, immer der Romantischen Straße entlang, wenn Sie so geradeaus gehen, dann sehen Sie bald das Weikersheimer Schloss«, erklärte mir eine freundliche Einheimische. Ich ging also zu Fuß an der Romantischen Straße entlang, die eigentlich die Funktion einer Autobahn hier in der Gegend hatte und deswegen für Spaziergänge völlig ungeeignet war. Ich versuchte dabei, die Eisenbahngeleise im Auge zu behalten, aber irgendwann führte die Romantische Straße nach rechts, und die Eisenbahnlinie bog links ab, und vor mir lag Weikersheim in seiner ganzen Schönheit. Doch ein kleines und vollkommen unüberbrückbares Flüsschen trennte uns. Ich blieb am Ufer stehen und fing an, mich selbst zu trösten: Ach, bleib cool, in Deutschland kann man sich nicht verlaufen. Aber dann drohte ich doch mit der Faust in Richtung Schloss. Hier ging es ums Prinzip. Wenn es sein muss, schwimme ich einfach rüber, dachte ich. Da klingelte plötzlich mein Handy:

»Wo stecken Sie, Herr Kaminer, sind Sie schon in Weikersheim angekommen? Wir machen uns bereits Sorgen um Sie.«

Das war Renate, die lokale Veranstalterin, die mich nach Weikersheim eingeladen hatte.

»Sie brauchen sich keine Sorgen zu machen«, beruhigte ich sie. »Ich bin zufällig am falschen Heim ausgestiegen und stehe jetzt hier unten am Fluss. Aber auf der anderen Seite kann ich Weikersheim bereits ganz deutlich sehen. Leider gibt es hier keine Brücke, aber das macht nichts, ich rauche schnell meine letzte Zigarette zu Ende und schwimme zu Ihnen rüber.«

»Von welchem Fluss reden Sie eigentlich?«, wunderte sich Renate. »Wir haben hier weit und breit keinen Fluss. Meinen Sie vielleicht den Sumpf? Da gehen Sie besser nicht ins Wasser, beschreiben Sie mir lieber, was Sie sehen, ich komme und hole Sie mit dem Auto ab.«

Ich drehte mich um. Beschreiben? Wie sollte man

das beschreiben? Ich stand an einer grünen Wiese vor einem Sumpf, links war die Autobahn, rechts waren Büsche. Oben knallte die Sonne, unten wuchs Gras.

»Das ist so ziemlich alles, was ich Ihnen hier beschreiben kann«, stotterte ich.

»Alles klar, ich weiß jetzt, wo Sie sind. Bleiben Sie bitte dort«, sagte Renate und legte auf. Fünf Minuten später saß ich bereits in ihrem Volkswagen.

»Zu Fuß wären Sie nie bei uns angekommen«, lachte sie.

Renate und ihr Mann Norbert, der Leiter des kleinsten Kulturamts Deutschlands, bewohnten ein altes Steinhaus, in dem sich früher eine Schnapsbrennerei befand. Um meine Ankunft zu feiern und mich vom Stress der Anreise zu erholen, holte Renate einige Flaschen selbst gebrannten Quittenschnaps aus dem Keller. Wir stießen an.

»Die meisten Bewohner von Weikersheim sind Weinbauern, auch ich. Die Veranstaltungen unseres Kulturklubs mache ich nebenbei«, erzählte mir Renate.

Als sich ihr Großvater kurz nach Beginn des Krieges in der Schweiz versteckte, musste ihr Vater, damals ein vierzehnjähriger Junge, den Weinberg allein bestellen.

Zur Armee wurde er nicht einberufen, weil er sehr schwach und klein aussah. 1945 kamen die Amerikaner in das Städtchen und enteigneten als Erstes alle Schnaps- und Weinvorräte der Bewohner. Selbst gebrannter Schnaps galt als Kriegstrophäe und durfte nun von den Siegern genossen werden. Niemand leistete Widerstand, nur der kleine Junge, der Vater von Renate: Er versteckte seinen kompletten Weinjahrgang im Keller und tat so, als hätte er nicht eine Flasche. Und die Amerikaner glaubten ihm, weil er eben so klein war und gar nicht nach Alkohol roch. Sie tranken alles aus und zogen weiter zum nächsten Schnapsdorf. So blieb der zukünftige Vater von Renate der Einzige in der Gegend, der noch Wein des Jahrgangs 1944 besaß. Die Bewohner des Städtchens standen bei ihm Schlange. Schnaps und Wein zählten dort seit Urzeiten zu den Grundnahrungsmitteln. Als dann die Währungsreform kam, verkaufte der Vater von Renate seine letzten Vorräte schnell gegen die neue D-Mark und wurde so zum reichsten Weinbauern der Stadt. Von diesem Geld baute er sich ein großes Steinhaus, in dem Renates Familie noch heute lebt.

»Wenn Sie wollen, können Sie auch länger bei uns bleiben«, meinte die freundliche Gastgeberin abends, als wir nach der Lesung im Klub noch auf der Gasse vor ihrem Haus saßen. Die Sterne waren so groß, der Himmel so nah. Je mehr ich trank, umso mehr gefiel es mir in Weikersheim: nette Menschen, eine liebliche Landschaft, eine schöne, aber stabile Architektur... Ich war froh, dass die Amerikaner damals den Wein nicht gefunden hatten. Vielleicht sollte ich einfach hier bleiben. Und in Ruhe einen Quittenschnaps-Roman schreiben. Dieses Getränk eroberte mein Herz schnell. Wahrscheinlich würde ich einen solchen Roman nie zu Ende schreiben. Um der Versuchung zu entkommen, verließ ich gleich am nächsten Tag die freundliche Familie von Renate. Vier lange, dünne Schnapsflaschen, sorgfältig in Zeitungspapier eingewickelt, lagen in meiner schwarzen Vorlese-Tasche. Damit hat man vor nichts mehr Angst.

Marx
(Chemnitz)

Von der Existenz dieser Stadt habe ich aus einem russischen Lied erfahren. Mitte der Neunzigerjahre entdeckten die russischen Musiker auf der Suche nach neuen Ausdrucksmöglichkeiten die deutsche Sprache. Viele große und kleine Rammsteine rollten über die Bühnen, die Musiker und die Fans fanden Deutsch aggressiv, punkig und politisch. Noch heute stehen die Rammstein-Lieder ganz oben auf der russischen Hitliste. Auf dem patriotischen Wettbewerb »Das beste Lied über Moskau«, der vom Moskauer Bürgermeister organisiert und gesponsert wurde, sorgte bereits 1996 die Punkband *Roter Schimmel* für viel Rummel, als sie mit einer verrammsteinerten Cover-Version eines Songs der deutschen Popband Dschingis Khan auftraten:

Moskau, Moskau,
schmeiß die Gläser an die Wand,
Russland ist ein schönes Land,
ho ho ho ho ho …

Bald wuchs auch unter intelligenten Rockmusikern das Interesse an der deutschen Sprache. So schrieb der Sänger der Band *Megapolis* eine traurige Rockballade mit dem Titel »Karl Marx lebt«, in der es heißt:

Und jedes Mal bei Vollmond
verlässt er seinen Sarg
und fliegt und schimpft und stöhnt
durch seine Heimat Karl-Marx-Stadt,
Karl-Marx-Stadt, Karl-Marx-Stadt,
das ist die Stadt der roten Blumen,
Karl-Marx-Stadt, Karl-Marx-Stadt,
aber ich mag nur weiß.

Einige gebildete Kollegen, die ebenfalls Deutsch können, wiesen den Sänger darauf hin, dass Karl Marx Stadt nicht die Heimat von Marx gewesen sei, und außerdem hätte man sie längst in Chemnitz zurückbenannt. Sie bezweifelten sogar, dass der wirkliche Karl Marx jemals in Sachsen gewesen war. Der Sänger von *Megapolis* erwiderte nur, das sei ihm doch

21

Jahre später fand ich Chemnitz auf mei-
~~~~~plan: zwischen Magdeburg und Erfurt. Es
ging um eine Lesereise durch die neuen Bundeslän-
der. Jetzt werde ich endlich erfahren, was es mit Marx
und Chemnitz wirklich auf sich hat, dachte ich.

Die gesamte Stadt war in Aufruhr, als ich ankam:
An dem Tag begann in Chemnitz gerade der Deutsche
Gartenzwerg-Kongress. Die Gegend zu Füßen des
Erzgebirges gilt als die eigentliche Heimat der Gar-
tenzwerge, erfuhr ich aus der regionalen Zeitung *Freie
Presse*. Mehrere Hundert Teilnehmer wollten in
Chemnitz eine Woche lang unter dem Motto »Gar-
tenzwerge aller Länder vereinigt euch« über ihre Ton-
figuren-Probleme diskutieren.

»Mit wem wollen sich die deutschen Zwerge denn
vereinigen?«, fragte ich meine Gastgeber, zwei nette
Buchhändlerinnen. Ich hatte außer in Deutschland
noch nirgendwo Gartenzwerge gesehen. Bei uns in
Russland heißen sie zum Beispiel Vogelscheuchen
und sehen auch ganz anders aus. Ich zweifelte an der
Ernsthaftigkeit dieses Kongresses. Die Buchhändlerinnen meinten jedoch, das Ganze würde überhaupt
nicht zum Spaß veranstaltet, sondern sei noch ernster
als der Kölner Karneval und hätte einen politischen
Hintergrund.

»Also lieber nicht den Gartenzwergmenschen über

den Weg laufen, wenn Sie abends in der Stadt spazieren gehen«, meinten sie.

Auch über Karl Marx haben sie mich dann aufgeklärt. Obwohl viele bedeutende Persönlichkeiten zu ihren Lebzeiten und auch später die Stadt besuchten – Goethe, Schiller, Wilhelm Pieck, Erich Honecker –, sollte sie ausgerechnet ab 1953 Marx' Namen tragen, obwohl dieser auf seinen Europareisen stets einen großen Bogen um Chemnitz gemacht hatte und ihm nicht einmal nahe gekommen war. In der DDR hatte Chemnitz jedoch den Status einer Vorzeige-Arbeiterstadt: Es verfügte bereits seit 1810 über Textil- und Maschinenbaufabriken und auch über eine starke, zudem marxistisch orientierte Arbeiterbewegung – noch vor Marx. Mit der Wende wurden die meisten Betriebe abgewickelt, die Arbeiter nach Hause geschickt, eine neue Ordnung kam in die Stadt: die der kultivierten Armut. Das Arbeitsamt ist seitdem fast an jeder Kreuzung ausgeschildert. Nur ein großer Kopf von Karl Marx erinnert noch an die alten Zeiten.

Die Chemnitzer lieben den Metall-Kopf nach wie vor. Als die anderen ostdeutschen Städte in Eile versuchten, sich von den sozialistischen Merkmalen der alten Zeit loszusagen, gab es in Chemnitz keine solche Diskussion. Ob man den Kopf lieber abreißen solle, stand nie zur Debatte.

»Mit diesem Denkmal sind viele unserer Kindheitserinnerungen verbunden«, erzählten mir meine Gastgeber. Welche Art Erinnerungen das waren, wollten sie mir jedoch nicht sagen. Sind sie als Kinder im Winter auf Marx hochgeklettert? Saßen sie im Sommer mit den Jungs im Schatten seines Bartes? Ich wollte mir den Kopf aus der Nähe ansehen und ging nach der Lesung dorthin.

Die Straßen waren leer, es war kalt und regnete. Vor dem Marx-Denkmal standen drei angetrunkene Männer mit roten Zipfelmützen, wahrscheinlich waren sie vom Gartenzwerg-Kongress. Der eine pinkelte, seine zwei Freunde hielten sich an Marx fest. Ich betrachtete die Plastik genauer. Es war ein sehr großer Kopf, viel größer als unsere in der Sowjetunion, und er kuckte auch anders. Bei uns hatten die Marx-Köpfe immer einen ergreifenden, geradezu raubgierigen Blick, mit Falten auf der Stirn und Augen, die wilde Entschlossenheit ausstrahlten. Unsere Köpfe wollten die Welt verändern, und wehe jemand stellte sich ihnen dabei in den Weg.

Der Chemnitzer Kopf sah mit seinem üppigen Backenbart viel harmloser aus. Wie ein riesiger Gartenzwerg ragte er aus der Erde. Links und rechts von ihm leuchteten die Werbewände von McDonalds und einem »Matratzenparadies«. Sie warfen Lichtschatten auf sein Gesicht, und manchmal konnte man so etwas wie ein müdes Lächeln erkennen.

»Uwe, du Pissbeutel, zieh die verdammte Hose an! Wir können doch nicht die ganze Nacht hier stehen!«, rief einer der drei Gartenzwergforscher seinem Freund zu.

Was hätte der Kopf bloß gesagt, wenn er sprechen könnte?, überlegte ich. Bestimmt irgendetwas Weises und Optimistisches: »Macht euch keine Sorgen Jungs«, hätte er gesagt, »ihr werdet euer Glück schon finden, alles wird gut.«

From Tübingen to Böblingen
with love

Die Lieblingsbeschäftigung vieler Taxifahrer in Deutschland ist es, über das Wetter zu schimpfen. Der Sommer war zu regnerisch, beschweren sie sich, einen richtigen Herbst gab es auch seit zwanzig Jahren nicht mehr, vom Winter schon ganz zu schweigen. Nur gottverdammte Zwischenwetter das ganze Jahr über, so schimpfen die Taxifahrer. Und oft haben sie damit Recht.

Doch manchmal hört Gott den Taxifahrern zu und schenkt ihnen Gnade. Dann kommt plötzlich mitten im Januar die Sonne heraus, die Straßen trocknen, der Himmel klart auf, draußen hat es satte zwölf Grad, und die Vögel zwitschern. Gleich versammeln sich Riesenherden von Schülern an kleinen Bahnhöfen. Sie tun so, als würden sie auf einen Zug warten, oder fahren auch tatsächlich mit der Regionalbahn ständig hin und her, wobei sie in Wirklichkeit die Schule schwänzen. Die Erwachsenen lächeln ihnen zu, die meisten haben volles Verständnis dafür und würden auch liebend gerne bei dem Wetter blaumachen.

Als ich in Stuttgart an solch einem sonnigen Tag in den Zug stieg, waren bereits alle Abteile von jungen Leuten belegt. Ich war der Älteste im Waggon und hatte wahrscheinlich als Einziger ein klares Ziel vor Augen, nämlich nach Tübingen zu gelangen. Dort sollte ich in dem Studentenklub *Sudhaus* auf Einladung der dortigen Spaßgesellschaft ein paar saulustige Geschichten vorlesen. Die regionale Tageszeitung *Schwäbisches Tagblatt* hatte das Ereignis bereits angekündigt, der Artikel begann mit den Worten: »Der Russe kommt – das klingt für uns immer noch furchtbar.«

Na hallo, dachte ich. Anscheinend hatten die Schwaben hier mit den Russen schlechte Erfahrungen gemacht – in den letzten 200 Jahren. Meine Geschichtskenntnisse ließen mich im Stich, trotzdem wollte ich auf jeden Fall versuchen, meine Landsleute bei der Lokalzeitung zu rehabilitieren. Und sagte deswegen sofort zu, als der Chef des *Schwäbischen Tagblatts* mich anrief und zu einem Interview in die Redaktion einlud. Diese befand sich genau gegenüber von meinem Hotel.

»Gib einmal im Leben eine vorbildliche Russenfigur ab, das muss dir doch gelingen«, sagte ich zu mir selbst. Freundlich lächeln, über die Weltkultur plaudern und cool bleiben, mehr braucht es nicht. Und vielleicht kann man auf diese Weise die Russenangst abbauen, dachte ich. Die Zeitung erwies sich als linksorientiert und die Redakteure als überaus freundlich. In der Redaktion herrschte eine familiäre Atmosphäre. Die Mitarbeiter planten offensichtlich gerade eine kleine lokale Zeitungsrevolution: An der Wand hing bereits ein großes sozialistisches Plakat mit Wladimir Iljitsch Lenin, der seine Lieblingszeitung, die *Prawda*, in der Hand hält. Darunter stand: »Die Zeitung ist nicht nur ein Propagandist, sondern auch ein …« Der Rest des Satzes fehlte. »Sondern auch ein Agitator!«, vollendete ich die Parole aufs Geratewohl und erntete damit allgemeinen Beifall. Wenig später saß ich schon beim Chef in dessen Kabinett. Wir tranken Kaffee aus einer silbernen Thermoskanne.

»Sie wissen sicherlich, Herr Kaminer, wofür Tübingen berühmt ist, ich meine, wer hier lebte«, begann der Chefredakteur das Gespräch.

»Na klar, das weiß doch jeder«, antwortete ich.

Das war jedoch pure Angeberei, in Wirklichkeit hatte ich keine Ahnung, wofür Tübingen berühmt war und welche Berühmtheiten hier lebten.

»Mich würde nun interessieren«, fuhr der Chefredakteur fort, »welche Beziehungen die Russen zu Höl-

28

derlin haben, denn in der deutschen Kulturgeschichte hat er eine kaum zu überschätzende Rolle gespielt, vielleicht so wie Puschkin in Russland.«

»Die Russen haben zu Hölderlin eine komplizierte Beziehung«, sagte ich, um Zeit zu gewinnen. Hatte ich von dem eigentlich schon einmal etwas gelesen? In der Schule hatten wir von den Deutschen nur Schiller und Goethe, später noch Brecht im Programm, keinen Hölderlin.

»Eine sehr komplizierte Beziehung zu Hölderlin haben die Russen«, betonte ich noch einmal.

Der Redakteur des *Schwäbischen Tagblatt* sah mir misstrauisch in die Augen.

»Er ist in Russland wenig bekannt, obwohl es hervorragende Übersetzungen seiner Werke gibt«, erzählte ich weiter. »Doch Hölderlin, wie auch viele andere europäische Dichter aus seiner Zeit, schien für meine Landsleute viel zu sehr mit dem aufklärerischen Gedankengut aufgeladen zu sein, das man in Russland damals noch nicht richtig verarbeiten konnte. Die russische Poesie entstand viel mehr aus dem Bauch heraus, ohne den Verstand dabei einzubeziehen.«

Anschließend erzählte ich alles über die russische Poesie, was wir in der Schule gelernt hatten. Es war ein durchaus gelungener Schachzug, wir waren beide mit dem Interview sehr zufrieden. Auch die Lesung am Abend verlief ohne Komplikationen. Das *Sudhaus* war voll. Ich nahm mir anschließend vor, bei nächster Gelegenheit Hölderlin zu lesen.

Am nächsten Tag saß ich schon wieder in einem Regionalzug, diesmal sollte es nach Böblingen gehen. Das Wetter war immer noch toll, die Sonnenstrahlen blendeten die Fahrgäste. Lauter Jugendliche türkisch-schwäbischer Abstammung liefen durch den Zug und schauten mich so misstrauisch an, als wäre ich ein Spion. Weil ich am Abend zuvor in einer Tübinger Kneipe nach der Lesung noch eine halbe Flasche Rum getrunken hatte, fühlte ich mich selbst wie ein James Bond, der sich unterwegs verlaufen und seinen wichtigen Auftrag vergessen hatte. Nun pendelte er sinnlos durch Schwaben hin und her. Einfach nur so: From Russia with Love. Das Rattern des Zuges lieferte mir sofort die passende Melodie:

Ich fahr from Tübingen nach Böblingen,
natürlich mit love,
über Möglingen, Plochingen und Goldberg;
ich sehe faces, places and smiles for a moment,
from Tübingen nach Böblingen with love …

Japaner
(Rothenburg ob der Tauber)

Deutschland ist ein Land voller Geheimnisse. Einige lassen sich schnell wissenschaftlich erklären, die meisten bleiben jedoch ein Mysterium. Zum Beispiel die japanischen Touristen. Sie sind überall, bewegen sich nur in Gruppen und knipsen alles um sich herum, als wären sie in Disneyland. An ihren Gesichtern lässt sich nicht erahnen, ob sie sich hier wohl fühlen oder unter Heimweh leiden. Und noch mysteriöser: Nach 20.00 Uhr verschwinden alle japanischen Touristen spurlos aus dem Straßenbild.

Ein Freund von mir, der an der FU studiert und für seine Diplomarbeit zum Thema »Die Besonderheiten des Verhaltens der japanischen Touristen in Deutschland« recherchiert, wollte einmal herausfinden, ob die Japaner sich abends in irgendwelchen geheimen unterirdischen Räumen verstecken, wo sie zur Sicherheit von ihren Gruppenführern gezählt werden und ihre technische Ausrüstung kontrolliert wird oder ob sie einfach ins Hotel zum Schlafen gehen. Außerdem wollte mein Freund wissen, was die Japaner über ihre Reisen erzählen, wenn sie nach Hause zurückgekehrt sind. Er hatte sogar ein wenig Japanisch gelernt, um mit einigen Touristen Kontakt aufzunehmen.

Unauffällig als japanischer Tourist verkleidet, machte er sich an eine Touristengruppe aus Yokohama heran, die einen ganzen Tag durch Berlin lief. Trotz seiner Bemühungen wurde mein Freund von der Gruppe sehr schnell als Fremder entlarvt. Die Japaner benahmen sich wie immer freundlich, aber zurückhaltend. Kurz vor 20.00 Uhr sprach mein Freund ein junges Pärchen auf Japanisch an.

»Wie gefällt es Ihnen hier? Finden Sie Deutschland attraktiv?«, fragte er sie.

»Ja, das kann man so sagen«, nickten die beiden Japaner bestätigend.

Mein Freund ließ nicht locker.

»Aber einiges finden Sie doch bestimmt nicht besonders attraktiv?«, hakte er nach.

»Das ist auch richtig«, bestätigten die Japaner.

Die Unterhaltung mit der Gruppe brachte meinen Freund in seiner Arbeit nicht weiter. Die höflichen Japaner verzichteten auf jegliche Deutschland-Kritik und waren schon im Vorfeld mit allem, was er sagte, einverstanden.

»Aber ihr sagt mir doch nicht die Wahrheit!«, rief der Deutsche. Er war verzweifelt und sauer.

»Das ist nicht ausgeschlossen«, nickten die Japaner.

Aus seiner Diplomarbeit ist bis jetzt aus Material-mangel noch nichts geworden. Mein Freund will sich möglicherweise für ein anderes, leichteres Thema ent-scheiden, doch sein spezielles Interesse an japani-schen Touristen in Deutschland ist nicht ganz erlo-schen. Deswegen reagierte er sofort, als ich ihm von meiner bevorstehenden Reise nach Rothenburg ob der Tauber erzählte. Dort sollte ich auf Einladung des dortigen Goethe-Instituts eine Lesung halten. Mein Freund wirkte auf einmal sehr aufgeregt.

»Millionen Japaner kommen jedes Jahr nach Ro-thenburg ob der Tauber, dort nehmen alle ihre Rou-ten durch Deutschland ihren Anfang. Insgesamt lebt dieses Städtchen seit Jahrzehnten nur von Japanern. Sie bilden eine absolute Mehrheit in der Stadt. Die Läden, der Stadtverkehr und die Hotels sind extra auf sie ausgerichtet, die Straßen zum Teil sogar Japanisch beschriftet, habe ich gehört.

»Du musst für mich die Japaner dort beobachten und unbedingt alles aufschreiben, das wäre für meine Arbeit sehr wichtig«, meinte mein Freund.

Seine Augen glänzten. Ich versprach ihm, alles auf-zuschreiben, und fuhr los.

Die Stadt wirkte alt und leer. Auf dem Weg vom Bahnhof zum *Hotel Meistertrunk* traf ich keine Menschenseele. Und von den Millionen Japanern, die angeblich jedes Jahr Rothenburg ob der Tauber besuchen, sah ich nur einen einzigen. Wie merkwürdig! Der Mann stand ganz allein mitten auf der Straße, breitbeinig, schweigsam, ohne Videokamera und Fotoapparat, die Hände in den Hosentaschen, und eine dunkle Sonnenbrille im Gesicht. Eine halbe Stunde lang betrachtete er eine Hauswand neben dem *Hotel Meistertrunk*. Dort hing, wie fast an jeder Wand in Rothenburg, ein Erinnerungsschild: »Hier wohnte im Februar 1474 Kaiser Friedrich III. eine Woche lang.« Auch der Japaner wohnte im *Hotel Meistertrunk* – wahrscheinlich schon über eine Woche lang. Er stand deutlich unter einem Kulturschock und konnte sich nicht von der Wand trennen.

»Können all die Japaner hier eigentlich Deutsch lesen?«, fragte ich meinen Gastgeber, den Chef des Rothenburger Goethe-Instituts.

Wir saßen im Speiseraum des *Meistertrunk* und lästerten über Rothenburg. Dutzende Weihnachtsmänner, Engel und Heilige Mütter, festgenagelt an den Wänden, hörten uns zu.

»Den Japanern geht es nicht ums Lesen«, meinte mein Gesprächspartner, »sie wollen etwas Besonderes erleben, und Rothenburg ist eine besondere Stadt. Die zwei Millionen Touristen jährlich können es bezeugen.«

Ich war erst vor ein paar Stunden in Rothenburg angekommen und hatte noch nichts Besonderes bemerkt. Nur, dass hier der Weihnachtsmarkt ganzjährig geöffnet war.

»Sie hätten uns nicht im September, sondern im August besuchen müssen«, meinte mein Gastgeber, »im Sommer sieht es hier besonders merkwürdig aus, wenn alle Japaner mit Tannenbäumen und Weihnachtsschmuck durch die Stadt laufen.«

Aber im Sommer hatte ich von Rothenburg ob der Tauber noch gar nichts gewusst. Da hatte ich eine Stadt mit einem ähnlichen Namen besucht: Rotenburg an der Wümme. Dort ging ich in der Nacht an der Wümme spazieren, wobei ich Erstaunliches beobachtete: Eine Katze badete im Fluss. Zuerst dachte ich, sie bräuchte Hilfe, doch dann sah ich, dass es ihr Spaß machte. Vielleicht hatte die Katze einen Knall, möglich wäre es aber auch, dass das Wümme-Wasser gegen bestimmte Katzenkrankheiten half.

Von der Existenz eines Rothenburg ob der Tauber hatte ich erst im Oktober 2001 erfahren, als diese Kleinstadt im Berliner Wahlkampf um den Bürgermeisterposten plötzlich ein großes Thema wurde. In jenem Herbst hatte es die Berliner CDU voll erwischt:

Eine Panne jagte die andere, nicht zuletzt wegen ihres Kandidaten Frank Steffel, der alles falsch machte, was man nur falsch machen konnte. Bei einer Wahlveranstaltung wurde er mit Eiern beworfen und versteckte sich hinter den Rücken einiger älterer Parteiführer. Das Foto machte die Runde durch alle Zeitungen der Hauptstadt. Danach schwor der Kandidat Besserung. Als er drei Tage später bei einer Blumenausstellung mit Topfpflanzen beworfen wurde, bewegte er sich keinen Millimeter mehr von der Stelle und bekam so viel mehr ab, als man in einer solchen Situation normalerweise abbekommen würde. Statt zu versuchen, den Wurfgeschossen auszuweichen, stand er wie eine Statue da und fing sie mit dem Kopf ab. »Hat der denn überhaupt keinen Verstand?«, wunderten sich die CDU-Wähler.

Sodann fuhr Steffel mitten im Wahlkampf nach Bayern und behauptete dort, München sei die schönste Stadt Deutschlands. Es gab sofort ein riesiges Geschrei in Berlin: Wenn er das so sähe, dann solle er doch lieber in München kandidieren, meinten seine Konkurrenten. Steffel aber, der schon längst im Sinne hatte, alles noch schlimmer zu machen, konterte, Berlin sei zwar nicht so hübsch, trotzdem sei er fest entschlossen, diese hässliche Stadt zu regieren. Außerdem sollten seine politischen Gegner nicht so heuchlerisch auftreten, denn jedem Bundesbürger sei längst bekannt, dass die schönste deutsche Stadt überhaupt Rothenburg ob der Tauber sei.

Nach dieser Aussage fand in der Berliner Presse eine regelrechte Debatte über die Steffelschen Schönheitsideale statt. Gezeigt wurden: eine Karte von Rothenburg ob der Tauber, die Hymne der Stadt und ein Foto ihres singenden Bürgermeisters. Rothenburg ob der Tauber kam in Berlin ganz groß raus. Alle lachten, ich verstand das Ganze als eine Art Parodie auf das Spießbürgertum und lachte herzlich mit. Damals wusste ich noch nicht, dass so etwas wie Rothenburg ob der Tauber tatsächlich existierte. Seitdem war kaum ein Jahr vergangen und schon saß ich mitten in diesem als Stadt getarnten Spielzeugladen. Die Kellnerin im *Meistertrunk* sah wie eine Schneekönigin aus, überall standen künstliche Blumen, und das ganze Jahr hindurch ist hier Weihnachten. So also sollten Berlin und ganz Deutschland aussehen, wenn es nach Steffel ginge.

Der Chef des dortigen Goethe-Instituts kämpfte gegen das Spießbürgertum und besaß das einzige moderne Kunstwerk Rothenburgs. Vor nicht allzu langer Zeit hatte er eine Metallsäule mit der Aufschrift »Goethe-Institut« in seinem Hof aufgestellt. Diese Skulptur sollte den Anbruch der neuen Zeiten in Rothenburg symbolisieren und zugleich als Alternative zur ewigen Weihnachts-Kultur wirken. Es gab sofort eine große Diskussion. Viele waren der Meinung, diese Skulptur zerstöre die Einheit der städtischen Architektur. Doch der Chef gab nicht auf. Im Gegenteil, er fotografierte seine Säule in verschiedenem Licht und verbreitete sie als Postkarte »Für das neue Jahrhundert in der Romantik des Mittelalters« mit fünf unterschiedlichen Motiven: »Deutsche Nacht«, »Englische Nacht«, »Japanische Nacht« usw. Überall stand die Säule im Mittelpunkt. Ich habe alle fünf von ihm als Andenken an meinen Besuch in Rothenburg ob der Tauber bekommen.

Nachts konnte ich in meiner Dornröschen-Nussschale im *Hotel Meistertrunk* nicht schlafen: Ich musste doch irgendetwas über diese Stadt und die japanische Touristen schreiben. Doch die Romantik des Mittelalters schien eine schräge Wirkung auf mich auszuüben. Mir fielen keine Geschichten mehr ein, sondern nur Gedichte:

Leise auf Zehenspitzen kommt die deutsche Nacht.
In den dunklen krummen Gassen ein Weihnachts-
    engel lacht,
bis auch der allerletzte Japaner einen Tannenbaum
    hat.
Leuchte weiter – deutscher Weihnachtsmarkt – so
    satt …

…dichtete ich und sah aus dem Fenster. Der Cowboy mit Sonnenbrille stand immer noch vor der Wand und wirkte unheimlich. Vielleicht hat der Mann seine Gruppe verloren, oder sein Fotoapparat wurde geklaut und er beschloss deswegen, sich nicht mehr zu bewegen, bis die Dinge wieder in Ordnung kamen, überlegte ich und wollte schon hinausgehen, um ihm zu helfen. Doch was war, wenn es ihm gut ging? Die Japaner waren so teuflisch mysteriös! Ich lief noch eine Weile in meinem Zimmer hin und her und muss dann doch eingeschlafen sein. Am nächsten Tag war der arme Mann jedoch nicht mehr zu sehen! Seine Gruppe hatte ihn wahrscheinlich nachts doch abgeholt und technisch neu aufgerüstet. Erleichtert fuhr ich nach Berlin zurück. Meinem Freund konnte ich außer dem blöden Gedicht jedoch nicht viel erzählen und stellte mich dumm.

»Was hast du nun in Rothenburg gesehen? Waren viele Japaner da? Wie haben sie sich verhalten?«, drängte er.

»So kann man auch fragen, das ist auch richtig«, nickte ich und lächelte freundlich.

Hauptmann
(Hiddensee)

In Stralsund verließ ich den Zug, zusammen mit zwei Dutzend siebzigjähriger Frauen, die ihr ganzes Leben wahrscheinlich schwer geschuftet hatten, Geld verdienen und sich um die Familie sorgen mussten, und nun endlich von all diesen Lasten befreit auf eine Weltreise gegangen waren. Diese begann für sie mit Hiddensee. Bis zur Abfahrt unserer Fähre war noch eine gute Stunde. Ich wollte die Zeit nutzen, um auf die Schnelle etwas zu essen. Zwei kulinarische Richtungen waren am Stralsunder Bahnhof vertreten: der typisch einheimische Bockwurstladen und ein türkischer Imbiss.

Es war erst eine Woche seit dem Terroranschlag in New York vergangen, die Folgen dieser Weltkatastrophe waren auch am Stralsunder Bahnhof nicht zu übersehen: Vor dem deutschen Wurstladen stand eine Schlange, der Döner-Stand war dagegen absolut leer. Nur die zwei schnurrbärtigen Köche, beides Doppelgänger von Saddam Hussein, saßen am Tisch. Sie wirkten nervös, blickten misstrauisch durch das Fenster ihres Geschäfts und bereiteten sich innerlich auf schlechte Zeiten vor. Die Weltreise-Omas entschieden sich ebenfalls sofort für die Wurst, ich dagegen ging zu den Hussein-Doppelgängern. Obwohl die orientalische Kebabküche eigentlich nicht meinen Geschmack trifft – einer musste es tun. Die beiden Köche verstanden zuerst gar nicht, was ich von ihnen wollte, doch dann priesen sie meinen Mut mit einer Tasse türkischen Tees für umsonst.

Die Omas mussten dagegen wegen der langen Wartezeit ihre Würste einpacken lassen. Gemeinsam eilten wir zur Fähre. Die See war an diesem Tag ruhig, ein paar Rügener Seewölfe saßen an Deck und tranken Bier, graue Möwen schaukelten auf den Wellen. Unter Deck saßen zwei junge Mädchen, sie rauchten und hörten Ricky Martin. Die Omas standen an der Reling und starrten ins Wasser.

»Natur! Schöne Natur!«, riefen sie und winkten dabei begeistert mit ihren Würsten.

»Ich hasse Natur«, stieß eines der Mädchen hervor.

»Natur ist Scheiße«, bestätigte ihre Freundin nickend. An ihren Gesichtern konnte man sehen, wie ernst ihnen die Sache mit der Natur war. Wo fahren die beiden wohl hin, wenn sie alt werden, überlegte ich. Die Fähre legte ab in Richtung Hiddensee, die Omas bewarfen die Möwen mit den Wurstresten und freuten sich wie Kinder über ihre Freiheit. Auf der Insel angekommen, wurde die Fähre sofort mit einer neuen Gruppe alter Damen voll geladen, die Hiddensee hinter sich hatten und nun zurück zum Festland wollten. Wo sind nur ihre ganzen Männer?, dachte ich, als ich die vielen unternehmungslustigen Damen sah. Entweder haben sie die Jahre des Schuftens nicht überlebt, oder sie sitzen gerne zu Hause vor dem Fernseher?

Auf Hiddensee sollte ich im Gerhart-Hauptmann-Haus erst einige Texte vorlesen und dann auch das Wochenende dort verbringen. Ich hatte dieses merkwürdige Haus vor einigen Jahren schon einmal besichtigt. Es war wie ein Antiquitäten-Laden mit tausend Sachen voll gestellt und wirkte ziemlich gruselig. Allein das Schlafzimmer des großen Schriftstellers, in dem die Tapeten mit seinen Alpträumen voll geschmiert waren, sorgte bei mir damals für eine Gänsehaut. In einem solchen Haus würde ich nach einer Woche durchdrehen. Die Hüterin des Hauses sah jedoch sehr lebendig aus.

»Schön, dass Sie da sind«, freute sie sich. »Wir haben schon alles für Sie vorbereitet.«

Meine Befürchtung, in Gerhart Hauptmanns Bett

schlafen zu müssen, erwies sich zum Glück als unbegründet. Diese Ehre blieb mir erspart. Stattdessen wurde ich in einem kleinen Gartenhäuschen hinter der Villa untergebracht. Zu Lebzeiten des Nobelpreisträgers hatten dort seine Bediensteten gewohnt.

»Jedes Jahr machen wir hier Veranstaltungen, aber dieses Jahr wird mein letztes auf der Insel sein«, erzählte mir die Chefin. »Ich gehe in Rente.«

»Tut es Ihnen nicht Leid, ein solch lauschiges Plätzchen zu verlassen?«, fragte ich sie.

Die Chefin lächelte milde. »Ich habe genug vom Inselleben, jetzt möchte ich ein bisschen mehr von der Welt sehen. Vielleicht fliege ich mal nach Bangkok oder fahre mit der transsibirischen Eisenbahn nach China.«

Am späten Abend, nach der Lesung, saß ich allein im Gartenhaus, trank Tee und schaute CNN. Alle Welt war gespannt, ob und wann nun die Amerikaner Afghanistan bombardieren würden. Draußen vor dem Fenster unterhielten sich zwei fette Gänse mit einem kleinen Schwein. Ich hatte noch keine Lust, schlafen zu gehen, und ahnte Schlimmes. Tatsächlich suchte mich in der Nacht im Traum Gerhart Hauptmann auf. Er stand vor meinem Bett mit einem großen verzinkten Einkaufswagen, auf dem in roter Schrift »Gerhart Hauptmann« stand. Der Schriftsteller war halb nackt, an seiner stark behaarten Brust baumelte die große Nobelpreis-Medaille. Der Alte war schlecht gelaunt und beschimpfte alles und jeden. Ich solle abhauen, er habe mich nicht eingeladen, meinte er. Auch die Chefin des Hauses bedachte er mit für einen Nobelpreisträger ganz unüblichen Kraftausdrücken. Danach spuckte der Dichter mehrmals auf meine Decke, bevor er sich samt seinem Einkaufswagen endlich in Luft auflöste. Auf dem Weg zurück nach Berlin beschloss ich, irgendwann mal ein Buch dieses bösen Schriftstellers zu lesen.

Eulenspiegel
(Mölln)

Ich musste nach Mölln und suchte erst einmal die Stadt auf meiner großen Deutschlandkarte, die bei uns im Schlafzimmer auf dem Boden liegt. Sie ist sehr übersichtlich, und so konnte ich in zwei Minuten gleich zwei Städte namens Mölln finden. Wie fast alles in Deutschland, gab es auch Mölln gleich doppelt. Um festzustellen, in welches Mölln ich fahren musste, verglich ich die Postleitzahlen. Es war nicht das in Mecklenburg, sondern das in Schleswig-Holstein – bei Lübeck.

Im Internet fand ich eine sorgfältig gestaltete Stadtseite, auf der sich West-Mölln als »Eulenspiegelstadt mit Herz« präsentierte; dazu gab es Fotos vom »Historischen Rathaus« und vom »Museum des Eulenspiegels«. Mir sagte das etwas. Das Eulenspiegel-Buch von Charles de Coster war in der Sowjetunion sehr populär. Als Kind hatte ich es mehrmals gelesen. Und später in Berlin hatte ich einen Kulturwissenschaftler kennen gelernt, der gerade eine wissenschaftliche Arbeit über Till Eulenspiegel schrieb. In Deutschland wird der flämische Anarchorebell meist als Hofnarr verkannt. Der Kulturwissenschaftler behauptete, mit seinem Namen assoziiere man zum einen das Sprichwort »Eulen nach Athen tragen« und zum anderen »jemandem einen Spiegel vorhalten«. Doch ursprünglich hieß der Held Ulenspegel, zusammengesetzt aus *Ulen* (›wischen‹) und *Spegel* (›Arsch‹). Mithin bedeute Eulenspiegel in Wirklichkeit so viel wie »Das geht mir am Arsch vorbei«.

Ich war nicht vom Eulenspiegelmuseum nach Mölln eingeladen worden, sondern von der »Internationalen Begegnungsstätte e.V.«. Über diesen Verein konnte ich nichts im Internet finden. Nach einigen Stunden Fahrt mit dem IC musste ich in Lübeck umsteigen. Mindestens dreißig Grenzschutzbeamten in voller Kampfausrüstung standen auf dem Bahnsteig. Mit mir waren nur noch zwei weitere junge Menschen in Lübeck ausgestiegen. Die Beamten schauten uns erwartungsvoll entgegen. Als die zwei Jungs die Uniformierten sahen, fingen sie sofort an zu brüllen und zu pfeifen. Ich pfiff ein wenig mit und überlegte angestrengt, wer hier gegen wen gespielt haben konnte. Es war Ende Juni, also mussten die Spiele der Bundesliga schon zu Ende sein. Ich fragte eine alte Dame, die

auf einer Bank am Bahnsteig saß und ebenfalls auf
den Zug nach Mölln wartete, ob es bei dem Pfeifen
tatsächlich um Fußball ging. Doch, doch, meinte sie,
gerade heute hätte der VFB Lübeck in Heiligenstädt-
chen 1 zu 0 gewonnen und werde nun in die dritte
Liga aufsteigen, oder sogar in die zweite? Sie sei kein
großer Fußballfan, entschuldigte die Dame ihre Un-
genauigkeit, aber ein bisschen Spaß müsse sein.

In Mölln wurde ich bereits erwartet.

»Sie wissen wahrscheinlich, wodurch unsere Stadt
in ganz Deutschland berühmt geworden ist?«, fragte
mich Mark, ein junger Mann mit langen Haaren von
der internationalen Begegnungsstätte.

»Na klar doch«, antwortete ich, »durch Eulenspiegel.«

Ich lag aber vollkommen falsch. Das Städtchen war
vor einigen Jahren wegen eines Brandanschlags auf
mehrere türkische Häuser in die Schlagzeilen geraten.
Zwei junge Neonazis hatten drei Häuser angezündet,
danach waren sie zur Polizeiwache gelaufen und hatten sich mit der Bemerkung gestellt: »Sieg heil, die
Türken brennen.« Eine Familie war bei dem Brand
ums Leben gekommen. Daraufhin wurde von einer
Bürgerinitiative die internationale Begegnungsstätte
in Mölln gegründet. Mark, der allein erziehende Vater
und Mitorganisator, führte mich durch die Stadt.

»Die Bevölkerung hier ist traditionell sehr konservativ. Es ist schwer, an die Leute heranzukommen. Auch die türkischen Mitbürger wählen alle CDU«, erzählte er mir.

Die Straßen waren besenrein und parfümiert, man konnte keine einzige Kippe entdecken. Auf dem Marktplatz schmolz ein bronzenes Eulenspiegel-Denkmal in der Sonne; besonders glänzten ein Finger und ein Schuh.

»Weil die Touristen ihn immer wieder an diesen Stellen anfassen«, erklärte mir Mark. »Das soll Glück und viele Kinder bringen.«

Der Eulenspiegel steckte in einem Clownskostüm und saß in einer unbequemen Pose auf einem Sockel, dazu lächelte er milde. Ihr könnt mich alle mal, stand in seinem Gesicht geschrieben. Wir gingen weiter über den Platz. Im Hof der Begegnungsstätte saßen bereits zwei Dutzend Gäste und warteten auf uns. Ein rothaariger, kräftiger Mann kam auf mich zu. Er wollte etwas loswerden. »Darf ich Ihnen eine Frage stellen«, erkundigte er sich höflich. »Wie gefällt es Ihnen hier bei uns in Deutschland?«

Erst war ich perplex, dann antwortete ich ihm ebenso höflich:

»Nun ja, Deutschland ist überall anders, wissen Sie?«

Buddhistenhühner
(Oldenburg – Rostock – Hamburg)

Ich bin gerne im Norden. Die Menschen sind dort ruhiger als im Süden. Sie sitzen still in ihren Zugabteilen und quatschen einander nicht voll, sondern schauen nachdenklich aus dem Fenster in die Ferne, wo oft gar nichts zu sehen ist. Nur eine unendliche Leere bis an den Horizont, doch sie schauen interessiert – irgendetwas entdecken sie immer.

Eine Woche lang pendelte ich durch die nördlichen Regionen zwischen Schleswig-Holstein und Mecklenburg-Vorpommern hin und her, aber immer mit einmal Umsteigen in Hamburg. Jedes Mal setzte ich mich dort in ein kleines Café, in dem ein Araber im Ledermantel Tag für Tag zwei Spielautomaten molk. Alle Cafébesucher verfolgten wie elektrisiert sein Spiel. Hatte der Mann im Ledermantel wirklich so viel Glück, oder wusste er etwas, was wir nicht wussten? Der Spieler tat so, als wäre seine Glückssträhne das Normalste auf der Welt. Er drückte auf die Knöpfe und murmelte ab und zu irgendwelche Gebete oder Flüche in seiner Heimatsprache. Sein Guthaben wuchs kontinuierlich. Wie sich ein Beduine als König der Wüste mit seinen Kamelen und Frauen versteht, so verstand sich der Spieler vom Hamburger Bahnhof mit den Automaten. Mal strich er sie zärtlich an der Backe und kitzelte die Knöpfe, mal zeigte er sich zornig und schlug mit der Faust gegen die Kästen oder trat die Automaten sogar mit den Füßen. Die Apparate piepsten und jammerten, gaben dem Mann aber stets ihr Geld. Er hatte bereits fünfzig Euro auf dem Konto, da kam mein Zug nach Oldenburg. Ich wünschte dem Mann viel Glück und fuhr ab.

Im Oldenburger Hotel *Tafelfreude* trugen alle Mitarbeiter seltsame Kosakenkostüme, und es gab Jasmin-Tee für umsonst.

»Wir haben gerade Himalaja-Wochen und deswegen alles ein bisschen orientalisch gemacht«, erklärte mir ein junger Kosake.

Die Hotellobby war mit Seidentüchern in verschiedenen Farben dekoriert, aus der Küche roch es stark nach Medikamenten. Statt Kohl und Pinkel gab es Kardamom-Hühner, Camfora-Hühner und Mandel-Sahne-Hühnersuppe mit Orchideenblättern obendrauf.

»Wir können Ihnen natürlich auf Wunsch auch eine

Wurst servieren«, meinte der Kellner, der mit seinem Turban wie ein durchgeknallter norddeutscher Ali Baba aussah. Alle fünf Minuten ging die Tür auf und neue Gäste betraten den Speisesaal. Sie wurden von dem freundlichen Ali Baba in Empfang genommen:

»Guten Tag, heute ist Himalaja-Woche!«

»Aha!«, sagten dann die Gäste und bestellten erst einmal einen Rotwein. Keiner wollte anfangen.

Was für Spießer!, dachte ich und erinnerte mich an die alte sowjetische Partisanenweisheit: »Bei Sprengeinsätzen braucht es immer einen, der vorangeht, damit die Sache in Schwung kommt!« Also bestellte ich mir ein buddhistisches Huhn. Einige andere Gäste, von meinem Beispiel ermutigt, bestellten sich auch etwas von der Himalaja-Karte. Wieder einmal etwas geschafft, gratulierte ich mir selbst, ein wichtiger Schritt in Richtung Völkerverständigung. Weiter so!

Nach der Lesung ging ich spätabends noch durch die Stadt spazieren. Anders als zum Beispiel Lübeck, wo man überall auf Brücken stößt, ist Oldenburg keine Insel. Die einheimischen Adligen sind mit den russischen eng verwandt. So war der Vater des russischen Zaren Peter III. ein Herzog von Holstein-Gottrop ältere Linie. Aus der jüngeren Linie wurden später die Herzöge von Oldenburg. Und immer wieder, wenn in Oldenburg irgendetwas schief ging, fand der Herzog von Oldenburg in St. Petersburg bei seinen Verwandten Asyl. Später wurde Oldenburg durch russische Kosaken von Napoleon befreit. Deswegen sehen noch heute viele Oldenburger Beamten wie Taras Bulba aus.

Am nächsten Tag fuhr ich weiter durch Mecklenburg-Vorpommern nach Rostock. Neben mir im Zug saßen zwei Touristen aus Boston, die sich laut auf Amerikanisch unterhielten, verschwörerisch grinsten und immer wieder mit dem Finger nach draußen zeigten. Vielleicht sind es gar keine Touristen, sondern Geschäftsleute, die irgendetwas mit Mecklenburg vorhaben?, überlegte ich auf dem Klo. Im Zug bekamen die Oldenburger Himalaja-Wochen eine skurrile Fortsetzung. Ich hatte Magenkrämpfe und schimpfte über die Buddhisten-Hühner, gleichzeitig hörte ich den Amerikanern zu und beobachtete das große Nichts hinter dem Fenster. Die faszinierend leere Mondlandschaft Mecklenburgs wirkte beruhigend auf mich. Überall wuchs wegen der EU-Flächenstilllegungsprämien Unkraut, dann tauchte plötzlich mitten im Feld ein von allen Fahrern verlassener Traktor auf.

Wo ist der bloß hergekommen und was war seine Mission?, grübelte ich. Vielleicht war er aus dem Süden hierher geschickt worden, um etwas Wichtiges auf den fetten Mecklenburger Böden zu erledigen, und hatte sich in der Unkrautsteppe verlaufen. Der Sprit war ausgegangen, der Fahrer abgehauen. Langsam würde er verrosten, tiefer und tiefer einsinken und schließlich von der Oberfläche verschwinden. Niemand wird ihm nachtrauern, niemand wird sagen, »Schau mal, war da nicht neulich ein Traktor?«

Manchmal raste unser Zug an einem halb zerstörten Gebäude vorbei, das ein ehemaliger Bahnhof oder eine Kaserne aus der Vorkriegszeit oder auch ein ehemaliges LPG-Wohnhaus sein könnte. Vielleicht fand in diesem Gebäude der Traktorist sein Ende? In einem anderen Bundesland würde der Traktorist in einer solchen Situation schnell ein Dorf finden, eine Traktoristin kennen lernen, sie heiraten, Kinder kriegen, ein Haus bauen … Aber nicht in Mecklenburg, weil es hier nichts mehr gibt. »No women, no cry«, würden die grinsenden Amerikaner dazu sagen. »No men – no problem.« Und deswegen ist Mecklenburg jetzt ein Paradies – wo nichts ist, kann auch nichts schief gehen. Immer wieder tauchten in der Landschaft Windkraftanlagen auf, die sich nicht drehten. Die Amerikaner klebten am Fenster. »No wind – no Strom«, dachten sie wahrscheinlich. Doch wer brauchte hier Strom?

Rostock lebte noch. Und auch die Zuhörer meiner Lesung in der großen Buchhandlung *Weiland* waren ganz munter. Der Brunnen der Lebensfreude in der Fußgängerzone sprudelte bis weit nach Mitternacht. Aus Rostock fuhr ich wieder zurück nach Hamburg. Meine norddeutsche Woche ging zu Ende, noch eine letzte Lesung in Hamburg und dann ab nach Hause. Meine Frau kam extra aus Berlin nach Hamburg, um während der letzten Etappe auf mich aufzupassen. Wir verabredeten uns am Bahnhof – beim Spielautomatenaraber. An dem Tag hatte der König der Wüste nur einen Zehner auf seinem Konto.

Oft habe ich gehört, Hamburg sei St. Petersburg sehr ähnlich, und St. Petersburg wäre sogar direkt nach dem Vorbild Hamburgs vom russischen Zaren errichtet worden. Jetzt ist es jedoch eher umgekehrt. Sie sind auch Partnerstädte. Und tatsächlich kann man gewisse Ähnlichkeiten nicht leugnen. Genau wie in St. Petersburg gibt es in Hamburg deutlich zu viel Polizei. Als meine Frau und ich abends in Hamburg-Altona spazieren gingen, standen dort in der Einkaufsstraße vor jedem Haus drei Polizisten beiderlei Geschlechts und passten auf alles auf. In St. Petersburg wird das übermäßige Polizeiaufgebot durch »Putin« erklärt, in Hamburg durch »Schill«.

»Schill«, sagte knapp der Taxifahrer, als ich ihn wegen der Polizisten befragte. Schill kämpft für die Sicherheit der Bevölkerung vor Kriminalität. Dabei

54

ist in Hamburg die »Bevölkerung« von der «Kriminalität« kaum zu unterscheiden. Beide sehen gleich aus: Männer mit dicken Goldketten um den Hals und bis zur Unkenntlichkeit geschminkte Frauen in kurzen Lederjacken, betrunkene Rollstuhlfahrer mit Hunden und pensionierte Seemänner mit Kebabresten im Bart.

Ein Teil dieser Bevölkerung saß am Abend in den Kneipen des großen Einkaufszentrums *Merkado*, wo meine Lesung stattfinden sollte. Die Einkaufszentren in Hamburg blieben anders als in Berlin auch nach 20.00 Uhr auf, zumindest die Kneipen darin. Wir mischten uns unters Volk.

»Schill hat neulich eine große Bauwagensiedlung mitten in der Stadt geräumt. Daraufhin wurden letzte Nacht alle Schaufenster in der Ottenser Hauptstraße zerschlagen, und deswegen steht jetzt vor jedem Haus eine Polizisten-Mannschaft: »Der Kampf geht weiter«, klärten uns einige Einheimische an der Bar auf. Sie waren schon ziemlich betrunken und unkonzentriert. Ich machte mir Sorgen wegen der Lesung. Aber alles lief wie am Schnürchen. Sogar der große Kampfhund in der ersten Reihe benahm sich anständig, er bellte nicht und kratzte sich interessiert leise hinter dem Ohr. Die Babys in den mittleren Reihen riefen ab und zu nach ihrer Mutti, und jemand ganz hinten fiel immer wieder vom Klappstuhl. Ich las meine Geschichten über den Norden vor.

»Wir hätten aber auch gerne etwas über den Süden gehört«, meinte ein Mann aus dem Publikum. Da war die Veranstaltung aber schon zu Ende.

Käppchen
(Halle)

Der Fremde wird in Halle freundlich und misstrauisch aufgenommen, als Hoffnungsträger und
Hassobjekt zugleich. Ähnlich wie die afghanischen
Kinder in Kabul die deutschen Soldaten umzingeln,
benehmen sich auch die Hallenser Taxifahrer, die dort
den ganzen Tag vor dem Bahnhof warten. Wenn sie
einen potenziellen Fahrgast erblicken, winken sie mit
den Händen, stellen sich in Reih und Glied auf und
lächeln schmeichelhaft. Wenn sich aber der Fahrgast
als ein überzeugter Fußgänger erweist, schimpfen sie
hinter ihm her und zeigen manchmal sogar den Stin-
kefinger.

Sie werden schon ihre Gründe dafür haben, dachte ich und ging vom Bahnhof zu Fuß in die Innenstadt. Die hallesche Innenarchitektur verzauberte
mich, ich wollte sie unbedingt näher erforschen. Die
Hochhäuser rund um den Bahnhof sorgten für einen
starken Wiedererkennungseffekt. Für einen Augen-

blick schien es, als wäre ich mitten in Deutschland plötzlich im Moskau meiner Jugend ausgestiegen. In einem genauso monströsen Haus in der Pioniergasse hatte seinerzeit meine Familie gewohnt. Damals waren diese Häuser die stolzen Vorboten des sozialistischen Bauprogramms. »Jedem Arbeiter eine eigene Zelle mit Warmwasseranschluss« hieß es. Heute sind sie zu einer Art Gruselattraktion für Touristen aus dem Westen geworden, man glaubt gar nicht mehr, dass darin noch Menschen leben und dass sie deutsch sprechen. Doch, doch!

Kaum hatte ich mir das gedacht, ging plötzlich die Tür eines solchen Hauses auf, und ein Vietnamese kam heraus. Er trug einen nagelneuen Sportanzug, in der einen Hand hatte er einen weißen Blumenstrauß, in der anderen eine große Flasche Doppelkorn. In diesem festlichen Outfit verschwand er in der gegenüberliegenden Unterführung.

»Der Kleine geht heiraten«, witzelte eine alte Frau, die vor der Unterführung stand und die Zeitschrift *Wachturm* verkaufte. Neben ihr standen zwei weitere ältere Damen mit Zeugen-Jehovas-Literatur in der Hand, ferner eine Gruppe von Jungs mit glatt rasierten Schädeln. Sie aßen Würste und langweilten sich. Man merkte, dass mit Halle nicht viel los war. Auf der Suche nach meinem Hotel ging ich ebenfalls durch den Tunnel. An seinen Wänden war das gesamte Kulturgut der jungen halleschen Generation versprüht. Als ich wieder ans Tageslicht trat, war der Sozialismus plötzlich zu Ende, und prachtvolle Bauten der neuesten Zeit beherrschten hier den Ort: ein Fünf-Sterne-Hotel mit Tiefgarage, ein Einkaufszentrum namens *Charlottenhöfe*, mehrere Bars und Restaurants mit mediterraner Küche – und keine Menschenseele weit und breit. Der Kapitalismus ist in Halle irgendwie mit dem Arsch zuerst angekommen. Im Gegensatz etwa zum seriösen süddeutschen Bauern- und Handwerker-Kapitalismus schien das Erscheinungsbild des halleschen nicht wirklich echt zu sein.

Abends lernte ich im Klub, in dem ich vorlesen sollte, einige echte Hallenser kennen. Sie erzählten mir Näheres über die kapitalistische Entwicklung in ihrer Stadt. Die ersten Investoren waren bereits bei der Wende nach Halle gekommen. Sie hatten alle denselben Dialekt wie die Indianer im Film »Der Schuh des Manitu« und einen Immobilienfonds nach dem anderen gegründet. Außerdem wollten sie die Stadt in »Spielhalle« umbenennen. Diese Indianer konnten gut reden, sie waren selbstsicher und blickten optimistisch in die Zukunft. Doch mit ihrem eigenen Geld wollten sie trotzdem kein Risiko eingehen. Also brachten sie die Hallenser dazu, ihnen ihr Hab und Gut anzuvertrauen. Mit diesem Kapital wurde unter anderem das Hotel *Dorint* gebaut, in dem ich untergebracht war.

Das Geschäft lief nicht gut, die Touristen ließen auf sich warten. In den ersten Nachwende-Jahren zeigte der eine oder andere Hallenser noch stolz mit dem Finger auf das *Dorint*, wenn er Besuch hatte: »Seht ihr dort oben – das Zimmer in zehnten Stock rechts? Das ist meins!« Er fühlte sich damit voll auf der Höhe der Zeit. Aber dann gingen die Fonds einer nach dem anderen Pleite, die Immobilien wurden versteigert, die Indianer schlichen sich in ihre süddeutschen Reservate zurück. Aber schon wenig später kamen die schweigsamen Cowboys aus Niedersachsen an, und die Geschichte fing wieder von vorne an. Doch auch ihre Visionen scheiterten.

Der Kapitalismus läuft in Halle auch in seiner jetzigen dritten Phase nicht, infolgedessen sind viele Hallenser äußerst misstrauisch gegenüber dem ideenreichen Westen. Aus Protest rasieren sie sich die Schädel und trinken Bier mit Schnaps vermischt. Der letzte große Betrieb, eine Waggonbau-Fabrik, wird gerade abgewickelt, zuerst das Werk eins, dann das Werk zwei … »Wir gehen lieber gleich zum Werk drei, das hat immer auf«, sagen die Arbeiter und meinen damit die Kneipe neben ihrem Betrieb.

Doch nicht allen Firmen in Halle geht es schlecht. Neulich verbreitete sich zum Beispiel die freudige Nachricht in der Stadt, *Rotkäppchen*, die berühmte Sektfirma in der Nähe von Halle, habe *Mumm* übernommen.

»Jetzt werden die drüben auch unseren *Rotkäppchen* trinken müssen und sich dabei einbilden, es wäre reiner *Mumm*«, grinsen die Hallenser und reiben sich schadenfroh die Hände.

Nachdenklich am Deutschen Eck
(Koblenz)

Tausende und Abertausende von Kilometern liegen hinter mir – alles Deutschland, überall! Zwei Jahre lang lernte ich das Land kennen, indem ich es intensiv bereiste. Maas und Memel, Etsch und Belt, die in der ersten, überholten Strophe des Deutschlandliedes besungen werden, kamen auf meinem Reiseplan zwar nicht mehr vor, dafür aber genügend andere Orte, die so ähnlich hießen. Von den in der zweiten Strophe gepriesenen deutschen Frauen habe ich dagegen viele persönlich kennen gelernt, daneben natürlich auch andere Bevölkerungsschichten, die in der Hymne eher vernachlässigt werden: zum Beispiel deutsche Männer, deutsche Taxifahrer, deutsche Hotelangestellte, deutsche Bahnwächter und deutsche Buchhändler. Dabei leisten auch sie wichtige Beiträge zu dem in der Deutschlandhymne geforderten Erhalt der Nation. Und nicht zu vergessen den deutschen Wein und den deutschen Gesang, die zusammen genommen allerdings nicht zu empfehlen sind. Diese Mischung ist gefährlich und kann Bundesbürger schnell in Amokläufer verwandeln. Die meisten Kneipengäste des Landes benehmen sich jedoch vernünftig und entscheiden sich meistens gegen Wein und Gesang – für Bier und Fernsehen.

Neben den Kneipen gibt es hier einige wichtige Orte, die quasi den deutschen Geist verkörpern. Diese geographischen Zentren bilden die mythischen Knoten einer Nation. So landete ich an einem sonnigen Montag nach einer längeren Reise durch das Rheinland am Deutschen Eck. Das Deutsche Eck befindet sich in Koblenz und sieht aus wie eine Ecke. Dort treffen zwei ausländische Zuflüsse aufeinander: Die Mosel kommt aus Frankreich und der Rhein aus der Schweiz. Am Deutschen Eck vermischen sie sich und fließen zusammen weiter – als deutscher Fluss.

Ich kam auf Einladung einer der nettesten Buchhandlungen Deutschlands nach Koblenz, dem Buchladen *Reuffel,* einem Familienbetrieb mit reicher Tradition. Schon die Schwiegermutter der Buchhändlerin hatte 1945 mit freundlicher Genehmigung der amerikanischen Besatzungsmacht Gebetbücher an die Bauern rheinabwärts geliefert. Dazu lief sie schon frühmorgens mit einer Karre los – von Haus zu Haus. Für die Bücher gab man ihr Wein und Brot. Inzwischen besitzt die Familie Reuffel fünf Filialen in Koblenz und trinkt gerne Cuba Libre.

Die Buchhändlerin holte mich von Bahnhof ab.

»Sagen Sie mir bitte, was Ihre Macken sind, damit ich mich schon im Vorfeld darauf einstellen kann«, bat sie mich.

»Ich habe keine«, antwortete ich verlegen.

»Das glaube ich Ihnen nicht, alle Autoren haben eine Macke«, erwiderte sie. »Neulich kam zum Beispiel ein junger Schriftsteller zu uns, ziemlich angetrunken, und meinte, er könne nicht aus seinem Buch vorlesen, weil das absolute Scheiße sei. Und deswegen würde er viel lieber etwas aus dem ›Wintermärchen‹ von Heinrich Heine zum Besten geben. Ich versuchte den Autor umzustimmen, ganz so schlimm sei sein Buch doch gar nicht, und schließlich hatte ich damit Erfolg. Von mir ermutigt, fing der junge Autor am Abend doch an, aus seinem Werk vorzulesen. Aber nach zehn Minuten brach er plötzlich ab. ›Jetzt machen wir eine kleine Pause‹, sagte er, ›und danach werde ich Ihnen aus dem ›Wintermärchen‹ von Heinrich Heine vorlesen.‹«

Die Buchhändlerin kannte viele Autoren und war über ihre Macken sehr gut informiert. Abends bei der Lesung gab ich mir richtig Mühe. Ich wollte meiner Gastgeberin beweisen, dass ich tatsächlich mackenlos bin. Ich fiel nicht vom Stuhl, blieb nüchtern, machte die Zuhörer nicht an und las nicht aus Heinrich Heine vor. Die Buchhändlerin war gerührt.

»Möchten Sie sich vielleicht in Koblenz irgendetwas anschauen?«, fragte sie mich am nächsten Morgen. Ich bat sie, mir das Deutsche Eck zu zeigen. Es war ein Dienstag. Sofort spürte ich die mystische Anziehungskraft des Ortes. Mitten im Deutschem Eck stand ein riesiges Denkmal von Kaiser Wilhelm I. 1945, als die Amerikaner in Koblenz neue Waffen ausprobierten, hatten sie den Kaiser mit einer Panzerkanone vom Sockel geschossen. Der Sockel bekam daraufhin den Namen »Denkmal der Wiedervereinigung«. Er sah wie eine Ruine aus. Erst in den Neunzigerjahren ließ ein reicher Koblenzer Geschäftsmann einen neuen Kaiser Wilhelm anfertigen und stellte ihn auf den Sockel. Das Deutsche Eck sollte damit zu einem neuen gesamtdeutschen Kultur- und Veranstaltungsort erhoben werden. Vor dem Kaiser fanden fortan lustige Konzerte statt: Unter anderem sangen dort *Bon Jovi* und *Udo Lindenberg*.

Die Vergangenheit ließ den Kaiser aber nicht los. Vor kurzem wurde in der Nähe des Deutschen Ecks eine amerikanische 20-Tonnen-Bombe gefunden. 6000 Einwohner mussten evakuiert werden.

Als ich und meine Gastgeberin das Deutsche Eck be-

suchten, ging es dort nicht mehr um eine Bombenent-
schärfung, sondern um die Fußballweltmeisterschaft.
Man hatte eine große Leinwand vor dem Kaiser auf-
gespannt, und Deutschland kämpfte darauf erbittert
gegen Kamerun um einen Platz im Achtelfinale.

Das Deutsche Eck war gerammelt voll! Selbst *Goethe*
und *Schiller* – zwei alte Rhein-Ausflugsschiffe, schwer
mit Touristen beladen – hatten ausnahmsweise am
Deutschen Eck angelegt. Es war ein spannendes Spiel,
besonders die zweite Halbzeit trieb vielen Zuschauern
den Schweiß auf die Stirn. Mehrmals sprang der eine
oder andere Deutschlandfan auf und tat so, als würde
er gleich in die Mosel oder in den Rhein springen

»Was ist?«, rief dann jedes Mal einer der *Goethe*-Ma-
trosen an Deck, die von dort aus das Spiel nicht besonders gut sehen konnten.

»Nichts ist, falscher Alarm«, schrien die Fans zurück.

Die Deutschen lagen mit 1 zu 0 vorne, die Kame-
runer wurden immer aggressiver, sie hatten nichts
mehr zu verlieren. Die Situation auf dem Fußballfeld
wurde immer angespannter.

»Klose! Klooose!«, schrie der Moderator.

»Klooose!«, echote alles im Deutschen Eck, aber
auch in den Bergen und Burgen der Pfalz drumhe-
rum.

»Klose, Klooose«, flüsterten Rhein und Mosel.

»Was ist?«, riefen die Matrosen auf der *Goethe*.

»Klose, Klooose«, kam es wieder aus dem Eck.

Es war ein klarer Sieg, die Deutschen waren im Achtelfinale, das war so gut wie sicher, und ich konnte am selben Tag noch leichten Herzens weiter nach Trier fahren.

Bratenfett
(Kaiserslautern)

Jeder Reisende, der so lange wie ich von einer Stadt zur anderen unterwegs ist und jedes Mal mit fremden Leuten zu tun hat, braucht gute Geister, die einen auf dem Weg begleiten. Für mich ist Harry Rowohlt ein solcher unsichtbarer guter Geist, der auf meinen Reisen durch Deutschland stets indirekt dabei ist. Denn in jedem Kaff, überall wo ich ankomme, war Harry Rowohlt entweder gerade da oder er wurde erwartet. Von allen Kollegen, die mit Reisen und Geschichtenerzählen ihr Geld verdienen, ist Harry Rowohlt zweifellos fleißiger und unermüdlicher als ich. Viele Veranstalter schwärmen von ihm, einige bringt er aber auch zur Verzweiflung. So waren beispielsweise die Veranstalter in einer Kleinstadt an der Wümme ziemlich verunsichert. Sie sagten zu mir:

»Gut, dass Sie da sind, Herr Kaminer. Bald erwarten wir Harry Rowohlt und sind ein wenig besorgt. In seinem Vertrag steht nämlich, dass er nur in ein Hotel will, in dem es nicht nach Pommes frites riecht. Bei uns gibt es nur ein Hotel, das auch eigentlich ganz anständig ist, aber wir befürchten, dass es genau so eins ist, wie Harry Rowohlt sie meiden möchte. Bitte sagen Sie uns: Riecht es oder riecht es nicht?«

So wurde ich von meinem guten Geist auf ein Problem aufmerksam gemacht, das ich bis dahin nicht einmal gekannt hatte. Seitdem denke ich immer, wenn ich Fritten rieche, an Harry Rowohlt. Auch im Hotel *Blechhammer* in Kaiserslautern konnte ich ihn förmlich riechen. Die dunkle Kammer des Jägerschnitzel-Restaurants im ersten Stock wirkte aber sowieso nicht besonders aufregend, und ich beschloss, gleich in die Stadt zu fahren. Ich wollte meine Veranstalter kennen lernen – und vor allem herausfinden, warum alle Bäckereien in der Stadt *Barbarossa* hießen, wieso überall große Plastikfische hingen und lagen und alle fünf Minuten große dunkle Maschinen im Tiefflug über die Stadt krachten. Kaiserslautern schien voller Geheimnisse zu sein.

Ich fuhr los in Richtung Zentrum. In den nächsten drei Stunden bekam ich die Geschichte von Kaiser Barbarossa und dem Hecht in drei verschiedenen Variationen zu hören. Jeder, den ich ansprach, hatte seine eigene. Mal hat der Kaiser den Hecht gefangen, mal hat er ihn im Gegenteil mit einem Kaiserring versehen und

ausgesetzt, damit ein anderer Kaiser diesen Hecht fünfhundert Jahre später aus dem Wasser fischte und sich
wunderte. Mal war der Kaiser der Held, mal der Hecht.
Dabei sahen die Fische gar nicht wie Hechte aus, sondern wie lebenslustige Freunde von Arielle, der See-
jungfrau aus dem gleichnamigen Zeichentrickfilm.

Mein Gastgeber, der in Kaiserslautern 25 Jahre
lang eine Buchhandlung und zehn Jahre eine Freak-
Kneipe betrieben hatte, klärte mich über die Flugzeuge auf. Das alltägliche Leben in Kaiserslautern ist
stark von dem amerikanischen Flughafen bei Ram-
stein geprägt, der fast genauso groß ist wie die Stadt
selbst. Seit Jahrzehnten fliegen die Amis in sechshun-
dert Metern Höhe über die Stadt. Das ist nicht nur
schlecht. Denn auf diese Weise kriegen die Bewohner
von K-Town immer als Erste alles mit, zum Beispiel
dass und wann es irgendwo auf der Welt brennt. Ob
Balkan, Afghanistan oder Irak, man hört es in Kaiserslautern sofort. Außerdem schaffen die Amerikaner gelegentlich Arbeitsplätze. Früher waren sie die größten
Arbeitgeber in der Region überhaupt und deswegen
beim Volk ziemlich beliebt. Noch vor zehn Jahren war
es in Kaiserslautern Sitte, sich einen GI zu Weihnachten einzuladen.

Die Amerikaner brachten Geld, gute Jazzmusik und
ein Kneipenleben ohne Sperrstunde in die Stadt. Das

ist inzwischen alles vorbei. Die GIs von heute kapseln sich immer stärker von der einheimischen Bevölkerung ab, sie lassen nur ganz wenige Deutsche für sich arbeiten, zahlen schlecht und kaufen so gut wie nichts in der Stadt. Sogar ihre Coca Cola und die Buletten werden aus Amerika eingeflogen. Dazu zahlen sie keine Gemeindesteuer, errichten Straßensperren und zäunen ihre Häuser mit Natodraht ein, ohne die Nachbarn zu fragen. »Auch Amerika ist nicht mehr das, was es einmal war«, sagen die älteren Leute in Kaiserslautern.

Abends las ich in einer Scheune, die eigentlich ein Heimatmuseum war und den Namen des großen Heimatforschers Theodor Zink trug. Es ging um sowjetische Militärmusik. Die amerikanischen Flugzeuge sorgten während der Lesung für eine authentische Geräuschkulisse. Danach gingen wir in einer lustigen Gesellschaft los, um Pfälzer Weine zu kosten, die angeblich ganz toll sein sollten – »besser als beim Franzosen«, meinte mein Gastgeber.

Am nächsten Morgen hatte ich einen dicken Kopf, musste aber ganz schnell nach Stuttgart fahren. Ich sagte dem Harry-Rowohlt-feindlichen Hotel tschüss und setzte mich in ein Taxi.

»Zum Bahnhof«, bat ich den Fahrer. Er führte gerade ein Gespräch mit einer milden weiblichen Stimme, die aus der Lautsprechanlage erklang.

»Wie geht es dir, Winnie, fühlst du dich wohl? Bist du jetzt allein?«, erkundigte sich die Stimme.

»Nein, ich habe einen Fahrgast, ich muss jetzt fahren«, antwortete Winnie.

»Na dann, ich wünsche dir viel Glück.«

Die Stimme war nicht mehr zu hören.

»Fahren Sie mich bitte zum Bahnhof, Winnie«, sagte ich zaghaft zum Taxifahrer.

»Mein Gott!«, rief der Mann und schaute zu mir herüber. Seine Augen waren voller Tränen. »Ich liebe sie! Was soll ich nur tun?«

Ich war verkatert, hatte immer noch die Flugzeuge im Ohr und war auf diese Frage überhaupt nicht vorbereitet. Wir fuhren endlich los.

»Ich habe mit meiner Frau sechzehn Jahre lang zusammengelebt, wir haben zwei Kinder – acht und zehn –, und jetzt sagt sie mir, sie liebt mich nicht mehr. Sie sagt, sie ist 37 und hat die Nase voll. Sie will noch mal ganz von vorne anfangen. Mit einem Kuss und einem Tritt hat sie mich vor die Tür gesetzt! Ich sollte mir eine Wohnung suchen. Das habe ich gemacht!«

Der Taxifahrer lachte und weinte zugleich.

»Sie ruft mich alle drei Stunden an und fragt, wie es mir geht…«

Ich musste dem Mann unbedingt irgendetwas erwidern.

»Verlieben Sie sich doch aufs Neue, fangen Sie auch neu an«, riet ich.

»Ich bin aber schon verliebt. Ich liebe meine Kinder und meine Frau, jeden Quadratmillimeter an ihr liebe ich, seit sechzehn Jahren! Was soll ich nur tun!«

Wir schwiegen. Ich war mir ziemlich sicher, dass ich die Taxifahrerfamilie nicht kitten konnte. Außerdem musste ich nach Stuttgart.

»Ach, wissen Sie, mir ist alles egal, ich habe überhaupt keine Lust mehr am Leben!«, sagte er und drückte aufs Gas. »Aber haben Sie keine Angst, ich bringe Sie schon zum Bahnhof!«

Zwei Minuten später waren wir da. Der Taxifahrer stieg mit mir zusammen aus und sagte zum Abschied: »Pflegen Sie Ihre Familie, denken Sie jeden Tag daran, hüten Sie Ihr Glück!«

Ich wurde noch nachdenklicher.

Am Bahnhof trank ich erst einmal einen Liter Orangensaft. Hunderte Männer und Frauen mit und ohne Gepäck liefen an mir vorbei, sie suchten ihren Anschluss. Ich verpasste meinen Zug nach Stuttgart und musste noch zwei weitere Stunden am Bahnhof bleiben. Es war der 15. Mai – der internationale Tag der Familie, 26 Grad im Schatten, und es stank nach Pommes frites.

Untergründler
(Oberhausen)

Mit dem ICE Adolph Kolping und mehreren Regionalzügen tourte ich durch das Ruhrgebiet. Wie in einem von allen Gärtnern verlassenen Garten das Unkraut die kultivierten Pflanzen verdrängt, blüht im Ruhrgebiet die wilde Kunst auf verlassenen Industriegeländen auf. Alle alten Zechen werden zu Ausstellungsräumen. In der Sterkrader Innenstadt werden Baustellenpartys organisiert, im Gasometer wickelt der Verhüllungskünstler Christo wieder irgendetwas in irgendetwas ein, er droht sogar, das gesamte Ruhrgebiet einzuwickeln. Die Innenstädte veröden, draußen werden riesengroße Malls nach amerikanischem Muster errichtet, mit zwanzig *McDonalds*-Filialen und einem Multiplexkino. Diese ultimativen Freizeitzentren sind nur mit dem Auto erreichbar. Als überzeugter Fußgänger ohne Führerschein hatte ich keine Chance, eine solche Attraktion zu besichtigen.

Zum Glück wurde ich in Oberhausen von der nettesten Mitarbeiterin des Verlages betreut. Sie besaß ein schickes Auto und war bereit, mir die Gegend zu zeigen. Zusammen unternahmen wir einen Ausflug durch die Kunstlandschaften des Ruhrgebiets. Im Bottroper Quadrat Museum besuchten wir die aktuelle Ausstellung des Künstlers Dr. Josef Albers. Dieser Ausstellung konnte man entnehmen, dass Josef Albers sich ein Leben lang nur für Quadrate interessiert hatte. Ich wusste damit nichts anzufangen, meine Begleiterin Almut erwies sich dagegen als ein großer Quadratfan. Sie konnte sogar verschiedenen Schaffensperioden des Künstlers anhand der von ihm gemalten Quadrate unterscheiden, was allerdings nicht besonderes schwer war. Die Quadrate des jungen Albers waren klein, gelb oder grün, manchmal lappten sie sogar – ganz abgefahren – ins Dreieckige. Je älter und berühmter der Künstler wurde, umso größer wurden seine Quadrate. Auch die Farben veränderten sich. In späteren Perioden waren sie nicht mehr gelb, grün oder blau, sondern dunkelgrau. Ganz am Ende gab es auch ein schwarzes Quadrat von Albers, das dem schwarzen Quadrat von Malewitsch ziemlich ähnlich sah. Almut bestand jedoch darauf, dass die deutsche Variante irgendwie quadratischer als der russische Prototyp war. Wahrscheinlich benutzte Albers bei der Arbeit, anders als sein Vorgänger, ein Lineal.

Ich langweilte mich in dem Museum. Vor allem vermisste ich bei dieser Ausstellung Ovale, Menschen, Tiere und überhaupt lebende Organismen. Die sah ich dann, als wir zu einer der Malls fuhren. Es war angeblich das größte Einkaufszentrum Europas und trug den stolzen Namen »Coca Cola Oase«. Dort parkten wir in der neunten Etage der Tiefgarage und aßen in einem Schnellrestaurant Straußensteaks. Das ganze Raumschiff kam mir wie eine sozialdemokratische Drive-in-Kathedrale vor.

Der Veranstaltungsort in Oberhausen, in dem ich abends lesen sollte, hieß laut meinem Reiseplan *Fabrik K 14*. Ich stellte mir dabei eine verlassene Fabrik vor, die von der Stadtverwaltung zu einem Freizeitzentrum umgebaut worden war. Almut wusste nicht so recht, wo sich diese Fabrik befand, und warf ihren Bordcomputer an. In der Dunkelheit verfehlten wir das Objekt dennoch mehrmals. Es handelte sich dabei um ein kleines Häuschen am Stadtrand. Die vermeintliche »Fabrik« erwies sich als der einzige noch real existierende Untergrund der alten Generation der 68er-Bewegung im Ruhrgebiet. Rustikale Möbel aus den Siebzigern, gerahmte Zeitungsausschnitte an den Wänden und eine große Lenin-Büste im Saal sorgten für anhaltende revolutionäre Atmosphäre.

Zuerst dachte ich, hier würde gerade ein Film über

die wilden Sechziger gedreht. Die Dekoration wirkte aber zu echt, und die Leute, die darin saßen, waren ganz sicher keine Schauspieler, sie waren ebenfalls echt. Die Veranstalter – Frau Daff, mit einer roten Schleife am Revers, und ihr Mann, der einen Hemingway-Pullover trug – begrüßten uns freundlich und erzählten sogleich, dass der Klub 1969 gegründet worden war, als Verein zur Förderung der politischen Bildung. Wobei der Name *K 14* eine Provokation gegen das 14., das politische Kommissariat der Polizei gewesen sei.

»Die Polizei war damals ständig hinter uns her, unsere Telefone wurden angezapft, und draußen auf der Straße stand immer ein Minibus des 14. Kommissariats«, erzählte Frau Daff.

»Die Schweine hatten damals sogar für alle, die die *Frankfurter Rundschau* abonniert hatten, eine spezielle Kartei angelegt«, ergänzte ihr Mann. »Wir sind aber trotz alledem politisch aktiv geblieben!«

Die revolutionäre Stimmung der beiden wirkte sehr anziehend. Aus Sicherheitsgründen schaute ich kurz nach draußen, ob der Polizeibus noch oder schon wieder dort stand. Die Straße war aber absolut leer, keine Sau zu sehen.

»So, draußen ist alles sauber, wir können mit der Lesung beginnen«, berichtete ich nach drinnen.

»Nicht so schnell«, meinten meine Gastgeber, »wir haben noch Zeit. Sie lesen übrigens im Helene-Demuth-Saal. Wissen Sie, wer das ist?«, fragten sie mich. Ich wusste von nichts.

»Helene Demuth war die Haushälterin von Karl Marx, die für ihn in London putzte und dann die Mutter des Marx-Sohnes Frederick wurde, der 1929 in London nachkommenlos starb. Zu Ehren dieser Frau werden in unserem Klub regelmäßig Skatrunden organisiert. Mit dem Gewinn wollen wir dieser Frau ein Denkmal setzen, die ihr Leben auf dem Altar des Marxismus geopfert hat.«

Die Veranstalter erzählten mir von den politischen und kulturellen Aktivitäten ihres Klubs gegen Kernenergie, Sexualunterdrückung und Terror in Lateinamerika.

»Wir haben auch Flüchtlinge aufgenommen«, erzählte Frau Daff. »Die Presse hat oft darüber berichtet.«

»Was für Flüchtlinge?«, fragte ich sie.

Auf den Zeitungsfotos sahen die Flüchtlinge irgendwie komisch aus, sie hatten merkwürdige altmodische Frisuren.

»Sind sie aus Jugoslawien? Tschetschenien? Bosnien? Afghanistan? Oder gibt es schon welche aus dem Irak?«

»Nein«, meinte Frau Daff, »das sind welche aus Chile.«

Ich hatte schon seit einer Woche im Ruhrgebiet keine Nachrichten mehr verfolgt und nun das Gefühl, etwas Wichtiges verpasst zu haben. Chile bricht zusammen, die Flüchtlingswelle erreicht Oberhausen, und ich weiß von nichts.

»Damals, als Pinochet sich an die Macht putschte, kamen die Chilenen in die Bundesrepublik«, erklärte mir Frau Daff.

Ich erinnerte mich dunkel an diese Geschichte. Bei uns in Moskau wurde noch in den Achtzigerjahren ein Theaterstück über Pinochet und seinen Widersacher Allende aufgeführt – »In Santjago regnet es« hieß dieses Drama.

»Aber das war doch vor zwanzig Jahren!«, wunderte ich mich.

»Sie haben Recht«, meinte Frau Daff mit etwas trauriger Stimme. »In den letzten Jahren hat sich hier nicht viel getan. Nur neulich, da ist ein chilenischer Flüchtling Großvater geworden. Wir haben wie in den alten Zeiten gefeiert.«

»Wir können auch immer weniger Künstler einladen«, klagte ihr Mann. »Die Helden von damals, die früher immer so gerne zu uns kamen, sind inzwischen Establishment und sauteuer bis unbezahlbar geworden. Wir arbeiten hier alle ehrenamtlich. Verdienen tun bei uns nur die Putzfrauen und die Tresenkraft. Aus Solidarität stellen wir in diesem Bereich nur Russen ein. Sehen Sie die Frau und den Mann am Tresen? Das sind alles Russen! Die machen hier den Abwasch.«

Nicht nur die Veranstalter, auch das Publikum im Klub, darunter viele ehemalige Bergarbeiter, wirkte freundlich und offen. Nur der Lenin-Kopf, den ich während der Lesung die ganze Zeit vor der Nase hatte, kuckte unzufrieden. Wahrscheinlich waren meine Texte für den alten Sack nicht revolutionär genug.

Nach der Lesung lernte ich viele aus dem Saal persönlich kennen. Wir erzählten uns gegenseitig Legenden und Mythen der Arbeiterklasse. Einige kannten sogar die Geschichte von Otto Brosowski. Ein Mann erzählte, er habe zu Hause »Die Rote Fahne von Mansfeld« als Hörbuch auf Schallplatte. Von den Veranstaltern bekam ich an dem Abend eine Menge Geschenke, unter anderem einen prachtvollen Fotoband, »Oberhausen 96«, mit tollen Fotos und noch tolleren Unterschriften: »Eine Passantin genießt die Nähe zur Liricher Müllverbrennungsanlage« oder »Die Bottroper Schachtanlage bei Sonnenuntergang«.

Ich bedankte mich herzlich, wünschte den Betreibern des Klubs ein fröhliches »Venceremos« und tauchte ab.

Kartoffelsuppe
(Von Aachen nach Naumburg)

»Kommen Sie auch einmal nach Aachen?«, fragte mich ein Unbekannter in einer E-Mail. Ich wusste nicht so recht, was ich ihm antworten soll.

»Wo ist Aachen?«, fragte ich zurück.

Ich war gerade mit der Vorbereitung meines »Dschungelbuches« beschäftigt und überlegte, in welcher Reihenfolge man die hier versammelten Städte platzieren könnte. Nach der Größe? Nach der Bevölkerungszahl? Oder einfach wie im Telefonbuch – alphabetisch von A bis Z, immer der Reihe nach? Hätte ich mich für die alphabetische Reihenfolge entschieden, dann wäre zweifellos Aachen die erste Stadt in diesem Buch. Für alle Fälle rief ich bei meinem Verlag an und bat, mir ein paar Lesungen in Städten zu organisieren, die nicht wie die meisten mit einem W oder einem H, sondern auch mal mit einem Ö oder Ü anfingen. Die schien es aber in Deutschland gar nicht zu geben. Dafür bot sich dann die Reise nach Aachen

an. Dort sollte ich auf Einladung der gerade eröffne-
ten *Mayerschen Buchhandlung* die erste Lesung im
neuen Haus halten.

Es regnete stark, als ich an einem herbstlichen
Nachmittag in Aachen ausstieg. Das Wetter schien für
einen Stadtrundgang wenig geeignet. Als inzwischen
gewiefter Stadtforscher hatte ich aber auch für solch
einen Fall eine Lösung parat: Ich suchte mir eine ge-
mütliche volkstümliche Kneipe mit einem großen
Weinangebot, die *Postkutsche* oder so ähnlich hieß,
und erkor sie vorläufig zu meinem Aachener Beob-
achtungsposten.

An einem langen Tisch saßen zwei Dutzend Männer und Frauen und aßen von großen Tellern Fleisch-
gerichte. Am Tresen betrachteten drei Männer und
eine Frau aufmerksam ihre Biergläser, so als hätten sie
diese Gläser zum ersten Mal hier entdeckt. Obwohl
niemand außer einer dicken lebenslustigen Dame
hinter dem Tresen redete, merkte ich bald, dass alle
Gäste der *Postkutsche* auf eine geheimnisvolle Weise
miteinander verbandelt waren. Die Frau am Tresen
sprach unvermittelt in den Raum, sie erzählte Geschichten aus ihrem Leben und dem ihres Chefs, die
ich nur mit großer Anstrengung halbwegs verstehen
konnte, weil ich den Dialekt noch nicht kannte. Es
hörte sich ein bisschen wie Belgisch an. Ich bestellte

mir einen Wein, der als Hausempfehlung auf der Karte stand, und nahm alle regionalen Zeitungen, die in der Kneipe zu finden waren, um mir mit Hilfe der lokalen Presse ein genaueres Bild von der Stadt zu machen.

»Manchmal gibt es in einer Woche so viel zu erleben, wie sonst in einem Monat nicht«, schrieb die *Aachener Zeitung*. Ich las angestrengt, verstand aber kein Wort. Die Zeitung berichtete über »die Wanderung der Penn«. Sie wanderte von Roetgen den Eschbach aufwärts zum Kutenhart-Venn und über den Reinhart und den Steinbach nach Roetgen zurück und empfahl deswegen festes Schuhwerk. Wer war die Penn? Warum wandert sie? Und machte sie das ständig oder nur gestern? Dieses regionale Leben war für einen Fremden wie mich verschlüsselt, aber irgendetwas bewegte sich hier ständig irgendwohin. Die Armbrustschützen hatten einen neuen Brudermeister gewählt. Der Schützenkönig musste sich auf den Galgenpley begeben. Und die Prinzengarde fand mit der designierten Öcher Tollität Marcus I. Quadflieg den idealen »Fuchs«. Auf den Fotos sahen die Leute kein bisschen seltsam aus, sondern ganz normal und bürgerlich.

Lediglich auf der »Familienseite« fand ich einige gute Tipps, die auch mir zugänglich waren – es ging dabei um junge Familien. In dem Artikel »Was tun, wenn Papa stets unterwegs ist« riet ein mir unbekannter Experte den Müttern, ein Porträt des Ehemannes auf die Kopfkissen drucken zu lassen. Aber auch ein Stofftier mit den Gesichtszügen des abwesenden Gatten könne die Sehnsucht mildern, behauptete der Familienberater.

Die Leute in Aachen und Umgebung führten ein spannendes Leben. Wenn sie sexuell belästigt wurden, dann gleich vom Erzbischof. Wenn sie einen Unfall hatten, dann war es fast nie ein Autounfall, sondern etwas viel Exotischeres: »Beim Äpfelpflücken abgestürzt« oder »Vom Pferd gefallen«. Viele Artikel begannen mit Zahlen. »948 Frauen spendeten 429,3 Liter Blut« stand in der Zeitung. Hoffentlich leben sie noch, dachte ich und rätselte, wer wohl zu meiner Lesung am Abend kommen würde. Die, die mit der Penn wandern? Die ideale Füchse finden? Und ob diese mich wohl ebenso wenig verstehen? Um mich auf ein schwieriges Publikum vorzubereiten, bestellte ich noch eine Flasche des Postkutschenweins, der hervorragend schmeckte.

Am Abend kamen dann in der *Meyerschen Buchhandlung* fast fünfhundert Leute zusammen, unter anderem ungewöhnlich viele Russen: Ein älteres Ehepaar, das mich an meine Eltern erinnerte, sprach mich bereits am Fahrstuhl an. Ein junger Mann, der mir vor

Monaten die eingangs bereits erwähnte E-Mail geschickt hatte, kam auf mich zu.

»Jetzt wissen Sie, wo Aachen ist«, sagte er lächelnd und versprach, mir auch noch seine Gedichte zu schicken.

Einer, der extra wegen meiner Lesung aus einer anderen Stadt nach Aachen gekommen war, wollte unbedingt rein, wusste aber nicht wie. Sie alle erklärte ich zu meinen persönlichen Gästen. Einige fragte ich nach der geheimnisvollen Penn. Sie wussten von nichts.

Nach der Lesung ging ich noch mit einem bosnisch-deutschen Ehepaar in eine Aachener Kneipe des spanisch-mexikanischen Typs, um einige Cuba Libre zu trinken. Sneschina war eine katholische Bosnierin, die aus einer mehrheitlich moslemischen Gegend stammte und zusammen mit ihrer Zwillingsschwester ihre Heimat verlassen musste. Sie wurden in Deutschland befristet als Kriegsflüchtlinge aufgenommen. Nach einer Ausbildung zur Krankenschwester und vielen anderen Abenteuern in Deutschland hatte Sneschina Stefan, einen Aachener Architekten, geheiratet. Die beiden erzählten mir von ihren Urlauben in Kroatien.

Stefan war von diesem Land begeistert. Die Kroaten seien immer offen und freundlich zu ihm gewesen, seiner Meinung nach waren sie nur ein bisschen zu groß, weil sie so viel und so gerne äßen. Bei einem

Fremden könne dort schnell der Eindruck entstehen, dass die Leute aggressiv seien, weil sie sich oft streiten und auch gelegentlich einander in die Fresse hauen, dann aber ganz schnell wieder Frieden schließen und zusammen trinken würden. Diese kleinen Auseinandersetzungen seien so etwas wie ein Volkssport in Kroatien, ein Tag ohne einen guten Streit gelte dort als ein verlorener Tag, meinte Stefan. Wenn Sneschina sich beispielsweise mit ihrer Zwillingsschwester streite, wisse er, dass die beiden sich noch gern hätten.

Es war schon tiefe Nacht, als wir uns verabschiedeten. Ich ging im Regen mein Hotel suchen und verlief mich dabei in den dunklen Gassen Aachens. Kein Mensch war weit und breit zu sehen. Plötzlich hörte ich Stimmen. Eine Clique junger Menschen lief trotz Regen und Kälte durch die Stadt. Freundlich erklärten sie mir mehrmals den Weg und schenkten mir sogar einen Stadtplan, den ich dann jedoch nicht mehr brauchte. Wer waren diese nächtlichen Wanderer?, grübelte ich. Vielleicht die geheimnisvolle Penn oder wenigstens eine Unterabteilung davon?

Am nächsten Tag fuhr ich bereits ganz früh nach Naumburg. Dort saß ich am späten Nachmittag in einem Naumburger Hotel namens *Aachen* und verspeiste mit dreißig Omas aus Westdeutschland heiße Kartoffelsuppe. Auch in Naumburg regnete es. Die

Stadt sah nicht besonders groß aus. Früher lebten hier in den kleinen schönen Häusern ca. 36 000 Deutsche und in großen Kasernen am Stadtrand dazu ungefähr 36 000 Russen. Nach der Wende fuhren die Russen nach Hause, auch viele Deutsche packten ihre Sachen. Die letzten kleinen Produktionsstätten machten dicht. Zum Glück hatte Naumburg einen wunderschönen Dom. Dieser Dom wurde von der UNESCO als Weltkulturerbe anerkannt und wird nun von westdeutschen Omas oft und gerne besucht.

Was wäre die ehemalige DDR ohne diese ganzen Omas, die es sich zur Lebensaufgabe gemacht haben, alle Sehenswürdigkeiten Ostdeutschlands abzuklappern? Sie sind zu allen Jahreszeiten unterwegs, in großen und in kleinen Gruppen arbeiten sie flächendeckend. Und die Futurologen prophezeien, es werden immer mehr. Gott sei gedankt dafür – allen Omas wünsche ich ewiges Leben. Außer Dome ankucken lieben sie die Natur über alles, aber auch Souvenirläden und Kartoffel- oder Erbsensuppe. Damit kann man sie bis in die hintersten Winkel des Landes locken. Deswegen mein Rat an alle deutschen Kleinstädte mit mangelnder Industrie: Schon jetzt die Zukunft sichern! Dome bauen, Bäume pflanzen und Kartoffelsuppe kochen!

Schweinebraten
(Sinsheim)

Auf meiner dauerhaften Wanderschaft durch die
Bundesrepublik habe ich gewisse Kenntnisse über die
innere Architektur der deutschen Kleinstädte gewonnen und brauche schon längst keine Karte mehr, um
in einer neuen Stadt das richtige Hotel und die le-
benswichtigen Geschäfte zu finden. Denn in einer
perfekten deutschen Kleinstadt hat alles am richtigen
Platz zu sein, und die Bahnhofstraße kreuzt immer
die Hauptstraße. Diese Kreuzung ist das Herz jeder
Kleinstadt. Dort angekommen muss der Wanderer
erst einmal nach links und rechts kucken. Sofort sieht
er alles, was er für den täglichen Bedarf und für unterwegs braucht. Dort, zwischen dem Marktplatz und
dem Kirchplatz, sind alle wichtigen städtischen Einrichtungen zu finden: der Hauptlebensmittelladen,
die Apotheke, die Kreissparkasse, das Hotel.

Als ich in Sinsheim ausstieg, wusste ich sofort Bescheid. Der kleine Bach direkt vor dem Bahnhof und

eine hübsche Brücke mit dem Schild »Bahnhofstraße« verrieten mir sofort, wo ich war. Wieder einmal lag eine perfekte deutsche Kleinstadt vor mir. Mein Hotel befand sich wie erwartet in der Hauptstraße. Alles andere ließ sich in wenigen Minuten erkunden. Die Kneipen, Geschäfte und Sparkassen waren genau dort, wo ich sie vermutete, als wäre Sinsheim ein Puzzle, das ich schon tausendmal zusammengesetzt hatte, als hätte ich selbst Sinsheim gebaut. Links vom Hotel war ein Italiener, rechts ein gehobener Italiener. Weiter rechts ein Chinese sowie eine Drogerie und ein Optiker. Im Hotel wimmelte es von Engländern – mehrere große Familien mit Kleinkindern. Die großen Engländer saßen im Foyer und rauchten, die kleinen krabbelten auf dem Fußboden herum.

»Was machen denn die ganzen Engländer hier?«, fragte ich die nette Dame an der Rezeption.

Sie wusste es nicht so richtig.

»Wahrscheinlich wollen sie ihren Kindern das Technikmuseum zeigen, es ist das größte Privatmuseum Deutschlands und ist gleich hier in der Nähe«, meinte sie. Doch das klang ziemlich unglaubwürdig. Die Kinder waren für das Technikmuseum zu klein, die Eltern zu müde. »Aber vielleicht«, so rätselte die nette Hotelangestellte, »befinden sie sich auch einfach auf der Durchreise.«

»Auf einer Durchreise? In Sinsheim? Wo soll eine solche Reise hingehen? Nach England wohl kaum!«, wunderte ich mich. Die Engländer saßen fest in ihren Sesseln, sie gingen nicht ins Museum und auch nicht in die Stadt. Vielleicht hatten sie sich in Deutschland verlaufen?

»Don't worry«, sagte ich zu einem, der besonderes müde aussah, um ihn ein wenig aufzumuntern, »in Germany everything goes according to the Plan!«

Danach ging ich zum gehobenen Italiener essen. Das Restaurant war leer und dunkel, doch das hatte nichts zu sagen. Die Türen standen offen und als ich eintrat, ging das Licht automatisch an und orientalische Musik floss aus den Lautsprechern. Eine ältere Dame brachte die Speisekarte und fragte mich, ob ich besondere Wünsche hätte. Immerhin war ich beim gehobenen Italiener. Ich konnte mich nicht zwischen einem Schweinebraten und einem Lammbraten entscheiden und bat sie um einen Rat.

»Also, wenn ich Sie wäre, würde ich mich für eine Portion Lammbraten entscheiden. Denn so einen Schweinebraten haben Sie bestimmt schon mehrmals gegessen und wissen genau, wie der schmeckt.«

»Aber so einen Lammbraten habe ich auch schon mehrmals gegessen«, unterbrach ich sie. »Das letzte Mal gestern in Ulm.«

»Dann kann ich Ihnen auch nicht weiter helfen«, meinte die Dame.

Ich überlegte kurz, ob ich nicht ausnahmsweise mal einen Salat nehmen sollte oder gar einen vegetarischen Eintopf, letztlich blieb es jedoch beim Schweinebraten.

Nach dem reichlichen Abendessen ging ich zur Volkshochschule, dem Hort der städtischen Kultur. Dort sollte die Lesung stattfinden, in einem Gebäude aus Asbestplatten und Glas, das mich stark an DDR-Architektur erinnerte. Die Volkshochschule Sinsheim organisierte dort schon lange eine Veranstaltungsreihe unter dem Motto »Literatur – Kunst – Gestalten«. Vor mir war dort der Szene-Superstar von Baden-Württemberg, Dr. Manfred Rommel, aufgetreten, der berühmte Sohn des berühmten Generals und Ex-Bürgermeister von Stuttgart, der jetzt Witze und Gedichte schreibt. Nach mir wurde mit großem Interesse der Autor eines Buches über Börsenschwindeleien erwartet.

»Letzten Mittwoch hatten wir Rommel, die Leute haben sehr viel gelacht«, sagte der Veranstalter zu mir. »Hoffen wir, dass Sie heute auch so komisch sind.«

Ich war aber nicht komisch, eher cool.

Der Schweinebraten in meinem Magen bewegte sich ständig hin und her und führte Selbstgespräche.

Nach der Lesung saß ich noch mit den Veranstaltern bei dem nicht gehobenen Italiener. Von dem Buchhändler bekam ich als Andenken an Sinsheim drei Rommel-Bände geschenkt.

Am nächsten Tag musste ich meine Reise fortsetzen. Die englischen Kleinkinder auf der Durchreise krabbelten noch immer im Hotelfoyer herum. Ich lief durch die Hauptstraße zur Bahnhofstraße wie auf einem geordneten Rückzug – und verabschiedete mich von der perfekten Stadt.

Flora und Fauna in Brandenburg

»Du schreibst also über Deutschland«, fragte mich einmal ein Kollege bei einem Bierchen. »Aber warst du schon mal in Brandenburg?«

Ich zuckte mit den Schultern. Welcher Berliner war nicht schon mal in Brandenburg? Berlin ist von Brandenburg eingekesselt. Kaum begibt man sich aus der Stadt, schon ist man in Brandenburg, egal in welche Richtung man fährt. Auch ich war schon mehrmals dort, auf Wandertour mit Bier und Fahrrad oder einfach so – mit Freunden unterwegs. Von daher weiß ich, in Brandenburg gibt es immer etwas zu entdecken.

Einmal entdeckten wir in einem kleinen Dorf nahe der polnischen Grenze einen tiefen Graben, der von den Bewohnern »Russengraben« genannt wird. Dort wollten die Reste der deutschen Armee im Frühling 1945 die sowjetischen Panzer aufhalten. Tage und Nächte gruben sie sich in die Erde ein und schufen einen musterhaften Verteidigungsring, an dem sie in

Stellung gingen. Aber die sowjetischen Panzer kreuzten dort nie auf. Die Rote Armee machte einen großen Bogen um den Russengraben und brach bei einem ganz anderen Dorf durch. Der Russengraben war also nie zum Einsatz gekommen und deswegen so gut erhalten geblieben. Vielleicht wird man für diese Anlage noch eine andere Verwendung finden, zum Beispiel in Zukunft die polnischen Traktoren damit abfangen, die ferngesteuert zu einem illegalen Arbeitseinsatz nach Deutschland aufbrechen.

Die Gefahr aus dem Osten gehört hier seit eh und je zum Alltag. Regelmäßig tauchen im Dorf Unbekannte auf, manche sehen so aus, als hätten sie gerade gebadet. Sie suchen nach einer Verkehrsverbindung in Richtung EU. Die Bewohner fühlen sich als Vorposten der freien Welt, für ganz Europa verantwortlich. Mit Erfindungsgeist und Bauernschläue haben sie eine raffinierte Falle für die Eindringlinge aus dem Osten gebaut: eine Bushaltestelle am Rande der Straße, wo nie ein Bus vorbeifährt. Manchmal gehen auch einfache Touristen in diese Falle: Wir zum Beispiel haben fast eine Stunde an dieser Bushaltestelle verbracht. Aber bestimmt haben die Bewohner bei ihrer Jagd auf illegale Einwanderer auch oft Erfolg. Da kommen welche aus dem Wald, grübeln, wie sie weitergehen sollen und plötzlich – wow! Eine Bushaltestelle! Dort sitzen sie bequem und warten auf einen Bus, der nie kommt. Die Dorfbewohner informieren inzwischen die Polizei. Doch die EU zeigt sich nicht dankbar: Es gibt immer noch keine Prämien für gefangene Illegale.

Mit der Landwirtschaft allein kommt man auch nicht über die Runden, also müssen sich die Brandenburger immer wieder etwas Neues einfallen lassen. Früher in der DDR war Brandenburg eine Produktionsstätte für Weinbrand und Eierlikör. Heute heißt die große Überlebenschance: die Natur. Brandenburg ist zum größten Biosphärenreservat Deutschlands erklärt worden. Mancher Reisende wird denken, da unten gäbe es nichts außer Kühen und Nazis. Ein Klischee! In Wirklichkeit ist die Flora und Fauna Brandenburgs viel vielschichtiger. Es gibt dort beispielsweise Ameisen und Kuckucke. Außerdem Mäuse, Pferde und jede Menge Mücken das ganze Jahr über. Sowie fast in jedem Dorf einen Streichelzoo. Eine wahre Attraktion der Natur für Touristen aus aller Welt.

Doch der Kampf um Urlauber ist hart geworden, die Verlockungen der Natur allein reichen nicht aus, man braucht ein Marketing-Konzept, ein anspruchsvolles Kulturprogramm. Die Brandenburger wissen es und geben sich Mühe. Mal überraschen sie den reichen Gast aus dem Westen mit dem Programm »Spuren des Bibers: Lebensraum und Lebensweise des munteren Grabenbauers«, ein andermal mit der »Langen Nacht der Frösche«, die über zehn Stunden dauert und für die Tiere, die nichts von Marketing verstehen, ziemlich anstrengend ist. Manchmal haben die Frösche einfach keine Lust. Dann springen die Einheimischen für sie ein und quaken bis in den Morgen.

Die Berliner helfen den Brandenburgern, wo und wie sie können – sie fahren zum Essen und Trinken zu ihnen. Auch wir waren neulich wieder dort. Ein netter, freundlicher Veranstalter lud mich zur einer Lesung nach Liebenberg ein, in den Teil Brandenburgs, der als OHV bezeichnet wird, was so viel wie »Ossis haben Vorfahrt« bedeutet.

»Sie können Ihre Freunde mitbringen, es ist Platz für alle da«, meinte der Veranstalter. Zu viert fuhren wir los. Der Gastgeber verwöhnte uns mit den Weinen aus der Region und erzählte über sein Leben. Der Mann hieß Oliver Kahn und hatte eine Frau namens Simone an seiner Seite. Es gibt in Deutschland nicht viele Oliver Kahns, und nur ganz wenige, die dazu noch eine Frau mit dem entsprechenden Namen haben. Als Namensvetter des berühmten Torwartes bekam unser Oliver eine Unmenge Fanpost, bis er seine Adresse aus dem Telefonbuch entfernen ließ.

Einmal traf er auf dem Münchener Flughafen den richtigen Torwart. Na, mein Lieber, dachte er, jetzt drücke ich dich ans Herz. Du kannst es dir wahrscheinlich nicht einmal vorstellen, dass es in Deutschland noch einen ganz anderen Oliver Kahn geben kann. Unser Kahn holte dazu seinen Ausweis aus der Tasche. Just in diesem Moment klingelte aber bei dem wahren Kahn das Handy, und er wurde in ein ernstes Gespräch verwickelt. Derweil gingen die Kahns aneinander vorbei und trafen sich nie wieder.

Aus Liebenberg fuhren wir am nächsten Tag nach Neulöwenberg, um dort eine Straußenfarm zu besichtigen. Neuerdings versuchen immer mehr Brandenburger ihr Glück mit den afrikanischen Laufvögeln. Anfang der Neunziger überschwemmte die Straußenwelle Europa, Russland und Asien, überall entstanden Straußenfarmen. Nach Russland zum Beispiel kamen sie über Finnland. Die Vögel gelten als besonders frostresistent. Ihre Widerstandsfähigkeit erlaubt ihnen selbst bei extrem niedrigen Temperaturen zu überleben. An ihren Vorteilen zweifelte keiner: Die Strauße bringen Fleisch, Federn, Eier und Leder. Überall zwischen Jakutien und der Ukraine toben plötzlich Strauße im Schnee. Ihre wunderbar zarte Haut wurde im russischem Schnee dick und hart, und weil sie wie Schweine ernährt werden, schmeckt ihr

Fleisch auch wie Schweinefleisch. Aber ein Vogel kann sich nicht ganz in ein Schwein verwandeln – von den 150 Kilo Bruttogewicht sind 130 Kilo Knochen.

1996 kamen die ersten Strauße nach Brandenburg. Eine Zeit lang, als viele Kühe in Europa durchdrehten und man heftig nach Alternativen suchte, wurde das Straußenfleisch als die Hauptspeise des neuen Jahrhunderts propagiert. Inzwischen hat man diese Illusion nicht mehr. Die Hauptspeise des neuen Jahrhunderts scheinen nach wie vor Popkorn und Chips zu sein, die Strauße sind aber in Brandenburg geblieben. Auch dort haben sie sich toll an die unafrikanische Umwelt angepasst. Die Vögel werden locker siebzig Jahre alt, fünfzig davon legen sie Eier wie verrückt. Die Farmer verkaufen die Schalen an die Natur-Touristen, die mit den Bussen von überall kommen.

Als wir in Neulöwenberg aufkreuzten, machte der Farmer gerade eine Führung für etwa dreißig Omas aus der Lüneburger Heide. Hinter dem Zaun saßen neun Strauße und beobachteten die Omas. Der Farmer erzählte ihnen, wie lebenslustig diese Vögel sind.

»Also so ein Strauß, det braucht vier, fünf Jahre, bis er geschlechtsreif is. Da is er gut und lässt sich streicheln. Wenn der aber geschlechtsreif is, det sieh man an dem Schnabel, det wird janz rot, dann werden sie aggressiv, die Strauße. Dann rennt der mit sechzig

Sachen durch die Gegend, den Mädels hinterher. Die Mädels wollen klar ein bisschen spielen, bei sich in Afrika, da stecken sie ihren Kopf in den Sand. Und der Junge macht dann Halt und kuckt so: Huh! Wo sind denn die Mädels? Hier ist mit Sand nicht so, deswegen haben sie gelernt, wenn der Junge auftaucht, sofort den Kopf in den Misthaufen. Und er dann ohne zu bremsen volle Pulle rauf! Dat macht denen Spaß, da fliegen die Sachen nur so durch die Gegend.«

Die Omas kauften die leer gesaugten Rieseneier und einige Federn, »die besser als Staubsauger den Dreck aus jeder Ecke holen«. Wir wollten unbedingt das berühmte Vogelfleisch probieren. Man konnte es als Gulasch, als Wiener oder auch als Bratwurst kaufen. Mit einer Straußenbratwurst in der Hand verließen wir Brandenburg. Ameisen und Kuckucke winkten uns hinterher.

Muckefuck
(Essen, Hagen, Grevenbroich)

Nach einer zweiwöchigen Pause setzte ich meine Zusammenarbeit mit der Deutschen Bahn AG fort. Seit Jahren machten wir beide dasselbe, wir fuhren in Deutschland herum. Alles wie immer, dieselben Personen stiegen in denselben Bahnhöfen ein und aus, nur der Zug war jedes Mal ein anderer.

Dieser nun trug den Namen »Ruhr-Sieg-Express« und sollte mich durch Nordrhein-Westfalen fahren. Draußen regnete es. Der Golfstrom wäre daran schuld, dass es in NRW so oft regnete, lautete die hiesige Fisimatente. Das Wort stammt aus dem Französischen, aus der Zeit, als Napoleon die Länder am Rhein besetzte. »Fisimatenten« bedeutet, wenn ich es richtig verstanden habe, eine faule Ausrede, original französisch: »Je visite ma tante« – Ich muss mal kurz meine Tante besuchen oder so ähnlich.

Nach drei Stunden Fahrt stieg ich in Essen aus. Die Stadt soll riesengroß sein, eine halbe Million Menschen lebt hier, obwohl die Industrie ziemlich am Arsch und die Arbeitslosigkeit sehr hoch ist.

»Hoffentlich finden wenigstens ein paar Bewohner zu der Lesung heute Abend «, sprach ich mir Trost zu.

Das Stadtbild verschwand beinahe im Regen, man sah kaum Wohnhäuser, auch keine Menschen auf den Straßen, nur undefinierbare Blocks, Banken und Versicherungs-AGs. Im *Hotel Korn* wurde mir am Empfang meine persönliche Fernbedienung zusammen mit den Schlüsseln ausgehändigt – eine seltsame Sitte.

»Warum«, fragte ich die Empfangsdame, »werden hier die Fernbedienungen an der Tür verteilt?«

Sie schüttelte nur den Kopf. »Sie wollen doch fernsehen, oder?«

Ich dachte kurz nach. Vielleicht war es eine kodierte Botschaft? Oder ich sollte eine wichtige Weltnachricht nicht verpassen? Im Hotelzimmer schaltete ich sofort die Glotze an. Alles ruhig in Deutschland, alles wie gehabt: Der Außenminister beschwerte sich über die *Bild*-Zeitung, von ihr bekomme er einen dicken Hals, sagte er. Die *Bild*-Zeitung lag neben dem Fernseher auf dem Tisch, auch dort stand nichts Außergewöhnliches: Eine nackte Frau saß auf einem Gasherd und lächelte vom Titelblatt. »Wer will mit mir experimentieren?«, lautete die Überschrift. Der ganz normale *Bild*-Zeitungs-Wahnsinn, kein Grund zur

Aufregung. Im Fernsehen berichtete man ununterbrochen über die Landtagswahl in Sachsen: Kurt Biedenkopf trat zurück, er sah wie ein Hobbit aus und wackelte während seiner Rede lustig mit den Ohren in Richtung seines Nachfolgers. Auch der sah aus wie ein Hobbit. Das war mir früher nie aufgefallen. Ist Sachsen etwa ein Hobbitland? Doch wenig später stellte ich fest, dass es nicht an den Sachsen, sondern am Fernsehapparat lag, in dem alle Menschen wie Hobbits aussahen. Ich fühlte mich verarscht. Das Fernsehen – etwa auch eine Fisimatente?

Ich schaltete das Gerät aus und ging zum Schauspielhaus, wo die Lesung stattfinden sollte. Es regnete nicht mehr in Essen, und gleich machte die Stadt einen ganz anderen Eindruck. Viele freundliche Gesichter, ein buntes Publikum, ein netter Buchhändler.

»Warum heißt Essen eigentlich Essen?«, fragte ich ihn. »Und welche Berühmtheiten haben hier gelebt?«

Der Buchhändler überlegte kurz. »Sie stellen schwierige Fragen«, meinte er. »Essen ist groß, aber total unbedeutend. Keine berühmten Persönlichkeiten haben hier gelebt. Und der Name kommt aus dem Lateinischen.«

Nach der Lesung bekam ich viele schwierigen Fragen gestellt. Die Essener zeigten sich um mich sehr besorgt.

»Haben Sie Heimweh?«, »Wollen Sie nicht nach Russland zurück?«, »In welcher Sprache träumen Sie?«

Eine junge Frau stand auf und fragte: »Warum machen Sie das?«

Ich war irritiert. »Meinen Sie, Bücher schreiben?«

»Nein, warum um Gottes willen fahren Sie nach Essen? Müssen Sie das tun? Sind Sie dem Verlag verpflichtet?«

»Das mache ich aus Spaß«, antwortete ich.

»Aus Spaß? Nach Essen?« Die Frau wollte mir nicht glauben.

Am nächsten Tag in Hagen stellte ich fest, dass Hagen und Essen ziemlich ähnlich sind. Vielleicht liegt es am Golfstrom aus dem Atlantik und am Regen? Wie ein altes Sprichwort sagt: Nachts sind alle Katzen grau. Auch in Hagen dieselben Fragen, nur weniger Zuschauer.

»Heute spielt Deutschland gegen Argentinien, deswegen sind viele nicht gekommen«, klärte mich der Buchhändler auf. »Außerdem gilt Hagen für die Buchbranche sowieso als ›schwierig‹«. Eine Fisimatente. Wir tranken eine Flasche Sekt zusammen, danach fuhr ich zum Hotel zurück. Dort in der Lobby stand ein großer schwarzer Mann und goss Tee in die Tassen.

»Warum heißt Hagen eigentlich Hagen«, fragte ich ihn.

Der Mann sah mich wild an, sagte irgendetwas auf Englisch, lachte laut und lief weg. Er war wahrscheinlich auch nur ein Gast, der sich im Hotel verlaufen hatte.

Meine ganze Hoffnung war nun Grevenbroich, da musste es einfach schön sein, allein der Name: Grevenbroich! Und tatsächlich schien dort am nächsten Tag die Sonne. Ein junger Mann saß in der Fußgängerzone und spielte Gitarre: Seine Melodien kamen mir bekannt vor – genau: Das haben wir als Kinder im Kindergarten gesungen.

»Für Sie spielt der Musiker Ewgenij aus Sibirien« stand auf seinem Karton. Mindestens zwei Dutzend Rentner saßen draußen an Holztischen und tranken Kaffee. Frauen mit großen Einkaufstaschen inspizierten die umliegenden Geschäfte. Ich war wieder mitten im Leben. Spiele weiter Ewgenij aus Sibirien! Bald wird es Sommer, und alles wird gut sein!

Die Volkshochschule Grevenbroich lockte die Besucher mit einem abwechslungsreichen Programm: Jedes Thema wurde mit einem Ausrufezeichen am Ende angekündigt: »Die Kids von heute! Erziehungsprobleme bei Heranwachsenden!«, »Keine Angst vor großen Hunden! Immer wissen, was tun!« Die Volkshochschule schien hier tatsächlich hauseigene Lösungen für alle grevenbroichschen Probleme zu entwickeln: Weder große noch kleine Hunde waren irgendwo zu sehen, auch keine Kids in der Pubertät. Hatte die Volkshochschule sie bereits alle ausgerottet?

Die regionale Zeitung berichtete über den erfolgreichen Kampf gegen die Kriminalität, der Polizei war ein großer Schlag gegen die Graffiti-Mafia gelungen. Die Nachbarn in Neuss hatten dagegen laut dieser Zeitung ein Problem. Die Bürger tranken dort zu wenig Bier, berichtete die Zeitung. Deswegen beschlossen die Neusser Kneipenwirte einen »Tag des Bieres« einzuführen. Das Bier sollte an diesem Tag nur einen Euro kosten, und jeder, der fünfzehn Biere in fünfzehn Kneipen getrunken hatte und fünfzehn Stempel nachweisen konnte, bekam einen Preis. Was für ein Preis, war nicht zu erfahren. Wahrscheinlich ein sechzehntes Bier oder gar eine Flasche Jägermeister, dachte ich.

»Niemand wird gezwungen, für den Preis zu trinken«, verteidigte sich der Veranstalter des ersten Neusser Biertages gegenüber der Presse. »Wir wollen nur ein bisschen mehr Leben in die Stadt bringen, überall wird Musik gespielt, und die regionale Rockband *Muckefuck* macht auch mit.«

Ich freute mich über die positiven Nachrichten aus der Region. Auch Grevenbroich müsste sich am Neusser Biertag beteiligen, dann würde es auch mit den Hunden und den Kids klappen, dachte ich. Nach der Lesung am Abend erfuhr ich, dass Grevenbroich so etwas wie Grafensumpf bedeutet, weil dort im Moor lange Zeit verschiedene Grafen residierten, und dass dort ein Techtelmechtel dank Napoleon immer noch »Fisternöllchen« heißt. Leider wusste niemand, woher sich das Wort ableitet. Welche Berühmtheiten von hier stammten, traute ich mich diesmal nicht zu fragen. War auch eigentlich egal, Hauptsache der berühmte Sommer kam wirklich.

Schnecken mit und ohne Haus
(Regenstauf)

Eine Sintflut setzte halb Europa unter Wasser, in Prag tanzten die Menschen auf den Dächern, weil sie dachten, die Welt ginge unter, Linz wurde zu einem Atlantis, Bitterfeld und Brandenburg wurden evakuiert, die mühsam restaurierte Semperoper drohte wegzuschwimmen. Mein Freund Andrej rief mich aus Dresden an. Die Verbindung war schlecht.

»Du kannst dir gar nicht vorstellen, was hier los ist«, schrie er ins Telefon, »das ist Serbien, das ist Afghanistan! Die Armee ist auf den Straßen, Hubschrauber in der Luft, alle sind nach Erfurt abgehauen, aber für mich ist es zu spät, die Bahnhöfe stehen unter Wasser, mein Auto ist untergegangen, ich wohne in drittem Stock, mir ist alles scheißegal!«

Ich versuchte meinen Freund zu trösten. »Die Elbe kommt und geht«, sagte ich, »die Stadt bleibt.«

»Du kannst es dir gar nicht vorstellen, alles ist am Arsch, ich habe weder Strom noch Kerzen, ich wohne im dritten Stock, mir ist alles scheißegal, ich ziehe nach Moskau zurück«, gluckste es in den Hörer.

Berlin erreichten die Flutmassen nur am Rande, dann verliefen sie sich in der städtischen Kanalisation, wo sie ein paar Ratten in den Kneipen aus den Klos spülten – das war schon fast alles. Die Ratten wurden von den Kneipenwirten schnell gefangen und zurückgespült. Dafür regnete es aber bei uns drei Tage lang in Strömen. Die Straßen wurden menschenleer und sauber wie nie zuvor. Sogar die obdachlosen Alkoholiker auf den Bänken am Arnimplatz, die meine Kinder und ich namentlich kennen und jeden Tag auf dem Weg zum Kindergarten und zurück begrüßen, waren verschwunden – vom Regen weggewischt. Große Schnecken mit und ohne Haus saßen nun auf den nassen Bänken.

»Wo sind eigentlich Rudolf, Uwe und Conny hin?«, fragte mich meine Tochter Nicole.

Ich vermutete, dass sie wegen des außergewöhnlich schlechten Wetters kurzfristig zum Hauptbahnhof gewechselt waren, wo es noch trocken und warm war. Meine Tochter vertrat jedoch eine andere Theorie, dass nämlich die Alkoholiker sich einfach in Schnecken verwandelt hatten, um so das Unwetter besser zu überstehen. Sie meinte sogar, in bestimmten Schnecken den einen oder anderen wieder zu erkennen.

»Kuck mal genau hin«, sie zeigte auf eine besonders große Schnecke mit Haus, die in der Mitte saß. »Das ist doch Uwe!«

Wir knieten uns vor die Bank.

»Uwe, bist du es?«, rief Nicole.

Die Schnecke zuckte daraufhin derartig heftig mit ihren Hörnern, dass ich für ein Augenblick selbst glaubte, es sei Uwe. Aber nicht nur er, auch etliche andere Schnecken zuckten, als wären sie auf Entzug.

»Bald kommt die Sonne wieder, und alles wird wie früher«, beruhigte meine Tochter die zuckenden Schnecken. Die Sonne ließ allerdings auf sich warten. Im Kindergarten wurden die täglichen Spaziergänge zum Blauen Berg abgeschafft. Stattdessen gaben sich die Erzieherinnen Mühe, die Kinder zu einem verlängerten Mittagschlaf zu ermutigen. Dazu benutzten sie eine CD mit meditativer buddhistischer Musik – es half tatsächlich. »Om mani padme hummm«, ertönte es über Arnimplatz, und alles, was wach war, schlief sofort ein.

Erst am Wochenende verzogen sich langsam die Wolken, wir brachten die Kinder zur Oma und packten schnell unsere Sachen. Uns stand eine seltsame Reise bevor. Wir waren vom katholischen Cusanuswerk nach Regenstauf eingeladen worden. Dort versammeln sich im alten Schloss Spindlhof alljährlich die begabtesten Studenten aus ganz Deutschland zu einer umfangreichen Bildungsmaßnahme. Ich sollte an ihrem Seminar »Aber diese Fremden sind nicht von hier – Migration im 21. Jahrhundert« teilnehmen.

Zuerst kam mir diese Einladung etwas gruselig vor. Auch halte ich nicht viel von alten Schlössern. Wer weiß, was dort alles so in den Kellern wohnt? In der letzten Zeit hatte ich viele Filme über Vampire gesehen und malte mir aus: Es dämmert. Ich stehe ganz allein mit einem Koffer in der Hand vor Schloss Spindlhof und drücke auf den Klingelknopf. Ein Mönch kommt mir entgegen.

»Guten Abend, bin ich hier richtig bei der Bildungsmaßnahme ›Aber diese Fremden sind nicht von hier – Migration im 21. Jahrhundert‹?«

»Aber klar doch.«

»Und wo sind all die Studenten?«

»Sie kommen gleich.«

Das große Tor schließt sich hinter meinem Rücken. Die begabten Studenten krabbeln von der Decke runter und auf mich zu… Eine haarsträubende Vorstellung. Andererseits wollte ich mir schon ganz gerne die »ausgewählten Begabtesten aus ganz Deutschland« ankucken, vielleicht saß der Bundeskanzler des Jahres 2033 in der Runde. Außerdem wollte meine Frau unbedingt dorthin. Wenn sie das Wort »katholisch« hört, erhofft sie sich sofort neue Exponate für ihre skurrile

Engelsammlung. Also sagten wir dem Cusanuswerk zu und flogen mit der Lufthansa nach München, um von da aus weiter mit dem Zug nach Regenstauf zu fahren.

Im Flugzeug saßen wir fast in der Businessklasse, nur ein schmaler Vorhang trennte uns. Im Vorhang gab es aber ein großes Loch, das uns als eine Art Fernseher diente. First Class saßen nur ein solider Dicker mit einer Aktentasche und eine Stubenfliege auf seiner Rückenlehne. Während des einstündigen Fluges bekamen die beiden ein Sandwich, eine Pralinenschachtel und eine aktuelle Ausgabe der Zeitschrift *Bunte*. Der Dicke blätterte darin, die Fliege wechselte von der Rückenlehne auf seinen Kopf, fand irgendetwas Leckeres und blieb bis zur Landung dort sitzen. Wir waren von dem Luxus in der ersten Klasse ziemlich enttäuscht.

In Regenstauf schien die Sonne. Die Vampire hatten zwei begabte Studentinnen vorgeschickt, um uns vom Bahnhof abzuholen. Sie sahen gesund aus und erzählten unterwegs vom Heiligen Cusanus, dass er sich für die Forschung eingesetzt hatte und auch sonst ein cooler Typ gewesen war. Das Schloss Spindlhof erreichten wir gerade rechtzeitig zum Abendbrot. Die Begabten, die entweder gerade vom Baden zurückkamen oder auf dem Hof im Kreis saßen, versammelten sich an großen Tischen in der Kantine. Eine extra lange vegetarische Frühlingsrolle wurde großzügig aufgeschnitten. Die jungen Leute sahen kein bisschen begabt aus, sondern ganz normal. Viele erwiesen sich als unsere Nachbarn, sie wohnten nicht weit von der Schönhauser Allee im Prenzlauer Berg.

Im Speisesaal herrschte die Atmosphäre eines Pionierlagers – man kam nicht zum Essen.

»Kleine Ansage!«, rief ein Student am Nebentisch über alle Tische. »Für unsere Cocktailparty brauchen wir noch zwei Freiwillige zum Eisbrechen!«

»Wer sich fürs Sambatanzen noch anmelden will, bitte in Zimmer elf melden«, rief ein anderer.

»Wer geht morgen mit zur Walhalla, bitte in der Küche Bescheid sagen…«

»Die sind hier alle so aktiv und lebenslustig«, erklärte mir Eldar, ein Musikethnologe, den es ebenfalls vom Prenzlauer Berg in den Spindlhof verschlagen hatte, wo er einen Workshop über den »Persischen Gesang im zwölften Jahrhundert« leitete.

Nach dem Abendbrot war ich mit meiner Lesung dran.

»Mach dich auf alles gefasst«, meinte Eldar.

Es kamen aber anschließend nur die üblichen Fragen: »Wo haben Sie Deutsch gelernt?«, »Wie lange ist das schon her?« und »In welcher Sprache träumen

Sie?«. Erst nach der Lesung, als wir uns in der Kantine zum Weintrinken und Singen versammelten, zeigte sich ihre wahre Begabung: Die Studenten waren außerordentlich kommunikativ, sie spielten Gitarre und Geige und konnten beinahe alles im richtigen Ton und mehrstimmig singen. »Über den Wolken«, »Irgendwie, irgendwo, irgendwann«, »Moskauer Abende« und »Let it Be« zum Beispiel. Um zwei Uhr nachts gingen Olga und ich ermüdet auf unser Zimmer, während die Studenten gerade erst mit ihrem vorletzten Gesangsmarathon begannen.

Am nächsten Tag, als wir zum Frühstück erschienen, war die Jugend schon weg in Richtung Donau: Walhalla ankucken. So sieht also die Zukunft Deutschlands aus, murmelte meine Frau noch müde. Sie hatte am Abend davor heftig mitgesungen und war jetzt im Großen und Ganzen mit der Reise zufrieden. Das Einzige, was sie betrübte, war, dass wir im gesamten Schloss Spindlhof keinen Engel für ihre Sammlung gefunden hatten. Die katholische Ausrüstung dort war sehr karg, nur eine Broschüre mit dem Titel »Der Same der Lebenserfahrung liegt in dir« lag im Foyer aus.

Auf dem Rückweg, beim Umsteigen in Friesling, fand ich jedoch im Schaufenster eines Geschenkeladens einen ganz großen Engel für 30,– Euro, den ich ohne zu zögern kaufte. Er war schön blau-gelb bemalt und hatte große Flügel. Bei genauerer Betrachtung draußen in der Sonne erwies sich der Engel jedoch als eine überdimensionale Biene Maja. In Berlin angekommen, gingen wir gleich zu meiner Mutter, um die Kinder abzuholen. Am Arnimplatz saßen wie eh und je die Alkoholiker Rudolf und Conny. Sie sahen ungewöhnlich frisch aus. Ihr Schneckendasein schienen sie gut überstanden zu haben. Nur Uwe fehlte.

Wodka Sekt
(Rathenow)

Meine Schwiegermutter kam aus dem Nordkaukasus zu uns auf Besuch. Die Kinder freuten sich, sie freute sich, und wir freuten uns auch. Denn nun waren Olga und ich einen Monat frei und konnten, wenn wir wollten, egal wohin fahren. Ich bereitete mich gerade auf eine Lesung in Rathenow vor und lud meine Frau ein mitzukommen. Rathenow war nicht gerade die weite Welt, aber immerhin eine Stunde mit dem Zug. Die Chefbibliothekarin von Rathenow rief mich vorher an, sie wollte uns vom Bahnhof abholen.

Am Bahnhof Zoo, viel zu früh angekommen, gingen wir in das dortige Restaurant *Zoo-Terrassen*. Vor dem Eingang stand eine koreanische Reisegruppe, zwei Männer und drei Frauen mit großen Koffern. Sie bewegten sich nicht von der Stelle und sprachen nicht miteinander. Auf alle Bemühungen des Kellners, ihnen einen Tisch anzubieten, reagierten sie nicht.

»Wahrscheinlich haben sich die Koreaner verlaufen

und beschlossen, sich nun nicht mehr vom Fleck zu bewegen, um die Situation nicht noch weiter zu verschlimmern«, vermutete ich.

Olga entdeckte auf der Speisekarte der *Zoo-Terrassen* ein uns vorher unbekanntes Mixgetränk: »Sekt Kupferberg Gold-Wodka: spritzig, witzig, temperamentvoll«. Das klang überzeugend. Wir tranken, die Koreaner schauten uns zu. Dann gingen wir zu den Gleisen und setzten uns in den Zug.

»Kann es sein, dass dieser Zug der falsche ist?«, fragte mich meine Frau.

»Das kann gut sein«, antwortete ich.

Wir stiegen schnell aus und redeten mit dem Zugabfertiger. Der Zug war zwar der richtige, aber nun war er weg. Der nächste sollte erst in einer Stunde kommen. Also gingen wir wieder zu den Koreanern in die *Zoo-Terrassen* und kosteten weiter »Sekt Kupferberg Gold-Wodka witzig«. Wir wurden zusehends spritziger und temperamentvoller. Trotzdem schafften wir es rechtzeitig nach Rathenow, der Stadt der Optik.

Die Chefbibliothekarin, eine sehr nette Dame mit Hornbrille, hatte Wort gehalten. Sie wartete am Bahnhof auf uns und war sehr aufgeregt: »Mit dieser Mütze habe ich Sie kaum erkannt, Gott sei Dank, dass Sie noch gekommen sind. Ich hatte schon langsam überlegt, was ich machen soll, wenn Sie nicht kommen.«

Die Stadtzeitung Rathenows hatte meine Lesung mit einem großen Artikel angekündigt – unter der nicht besonders einfallsreichen Überschrift: »Der Russe kommt«. In jeder dritten Stadt reagiert die regionale Presse mit diesem Satz auf mein Erscheinen. Manchmal schreiben sie auch »Deutscher Autor russischer Abstammung« oder »Ein jüdischer Schriftsteller«. Die Leser wundern sich wahrscheinlich und fragen sich »Hey, ist das nicht alles der gleiche Typ?« Mir ist es egal. Ich höre auf jeden Namen.

Die Chefbibliothekarin fuhr uns schnell zur Bibliothek. Das Publikum wartete bereits und amüsierte sich dann nach Kräften. Man hatte einen kleinen Tisch mit Getränken in der gemütlichen Bibliothek aufgebaut. Es gab Apfelsaft und Mineralwasser, außerdem Rotwein, Weißwein und Rosé. Nach der Lesung kamen viele Zuschauer nach vorne, um sich persönlich von mir zu verabschieden, dadurch verpassten wir auch noch den Zug zurück. Der nächste sollte erst kurz vor Mitternacht nach Berlin fahren. Wir setzten uns in der leeren Bibliothek mit der Chefin und ihrer Bibliothekskollegin Renate zusammen und tranken alles aus, was das Publikum nicht geschafft hatte: Apfelsaft, Mineralwasser, Rotwein, Weißwein und Rosé.

»Kommen Sie mit«, die Chefin stand auf, »ich zeige Ihnen jetzt Rathenow.«

Wir gingen hinaus an die frische Luft. Es war dunkel und nieselte.

»So«, sagte die Chefbibliothekarin, »es gibt hier eigentlich nicht viel zu sehen, in dieser ›Stadt der Optik‹. Dass ich nicht lache. Um 18.00 Uhr werden hier die Bürgersteige hochgeklappt. Das hier ist zum Beispiel das einzige Denkmal von Rathenow.«

Sie zeigte auf eine große Skulptur, die direkt vor der Bibliothek auf einem Platz stand.

»Ein Denkmal zu Ehren des Fürsten Klups, Plups, na, wie heißt der denn?«, fragte die Chefbibliothekarin ihre Kollegin Renate. Letztere wusste es gerade auch nicht mehr und wollte nach Hause.

»Egal«, meinte die Chefbibliothekarin, »fahren wir einfach los.« Wir setzten uns ins Auto. Renate verabschiedete sich und ging heimwärts.

»Es regnet ein bisschen«, meinte meine Frau.

»Es schneit!«, rief die Bibliothekarin, »und zwar das ganze Jahr über!«

Wir drehten ein paar Runden durch die leeren Straßen von Rathenow.

»Links sehen Sie ein mazedonisches Steak-Restaurant, dort kann man Steaks essen, rechts sehen Sie Renate, hallo Renate! Wie geht's?«

Wir hupten Renate an, sie winkte und verschwand in einer dunklen Nebengasse.

»Früher war Rathenow für seine großen Optikwerke mit vielen Tausend Beschäftigten berühmt, heute sind es nur noch dreihundert. Die Arbeitslosigkeit in der Stadt liegt bei über zwanzig Prozent, alles geht den Bach runter«, erzählte die Chefin. »Im Krieg wurde Rathenow von den Russen zerstört, weil sich hier eine SS-Einheit verschanzt hatte und sich partout nicht ergeben wollte. Diese Häuser links wurden alle nach dem Krieg wieder aufgebaut, und rechts sehen Sie ein mazedonisches Restaurant, dort kann man Steaks essen. Hallo Renate!«

Renate kam aus einer dunklen Gasse und lief uns über den Weg. Wir hupten wieder. Renate winkte uns wieder zu und verschwand erneut. Wir drehten noch zwei Runden in der Stadt, dann kamen wir am Bahnhof an. Kein Mensch war weit und breit zu sehen. Nur ein junger Mann führte seinen riesengroßen Hund durch die Bahnhofshalle. Der Hund pinkelte. Der Mann seufzte. Die Chefbibliothekarin begleitete uns bis zum Zug, sie wollte sichergehen, dass wir Rathenow tatsächlich verließen. Wir bedankten uns für die unkonventionelle Stadtführung und verabschiedeten uns herzlichst von ihr.

Der Zug fuhr über Berlin bis Cottbus. Wir waren die einzigen Fahrgäste. Die Nacht war stockfinster, man konnte nichts durch die Fenster erkennen, und man hörte auch nichts. Es war, als würde der Zug durch die Luft fliegen. Nach einigen Lichtjahren stiegen wir am Bahnhof Zoo aus und gingen zum Restaurant *Zoo-Terrassen*. Die Koreaner mit ihren Koffern standen immer noch da. Sie sahen kein bisschen müde aus. Wir wollten noch etwas bestellen.

»Klups, Plups, na wie hieß denn das Zeug?« Ich klopfte mir auf den Kopf und sagte: »Alzheimer!«

»Alzheimer ham wa nich«, konterte der Kellner und brachte uns das schon erwähnte Mixgetränk.

Die Reise nach Rathenow hat uns viel Spaß gemacht. Es war nicht gerade die weite Welt, aber dennoch: spritzig, witzig, temperamentvoll.

Fulda-Mission
(Fulda)

Mehrmals war ich schon mit dem einen oder anderen ICE an Fulda vorbeigerast. Er hatte aber nie lange gehalten, so dass man außer Bahnhof nichts von der Stadt sehen konnte. Ich ahnte jedoch, dass früher oder später auch diese Stadt auf meinem Reiseplan auftauchen würde, denn sonst war ich schon fast überall gewesen. Ende November war es so weit. Die *Thalia* Buchhandelskette lud mich nach Fulda ein.

»Über dieser Stadt liegt ein Fluch«, erzählte mein Freund und Kollege Helmut Höge mir, als ich ihm von meinen Reiseplänen erzählte. Helmut hatte sechs Jahre in der Nähe von Fulda gelebt und bereits 1984 einen umfassenden Bericht darüber geschrieben. Er erzählte mir, dass Fulda vor rund 1300 Jahren als Kloster von einem iroschottischen Mönch namens Bonifatius gegründet worden war. Von hier aus sollten die Mönche mit der Christianisierung Sachsens beginnen. Aber die Sachsen meuterten, sie wollten nicht christianisiert werden. Die Mönche von Fulda wandten brutale Methoden an. Der Sachsenführer Widukind wurde zwangsgetauft. Bei der Zeremonie soll Widukind gesagt haben: »O Fulda, verflucht seist du und alle in deinen Mauern, bis zu dem Tag, da die christliche Schmach von uns genommen!«

Danach lief aber in Fulda alles ordentlich weiter – dreihundert Jahre lang. Der Fluch von Widukind schien wirkungslos zu sein. Erst im vorletzten Jahrtausend artete die Geschichte von Fulda in eine nicht enden wollende Reihe von Bränden, Pestausbrüchen, Pogromen, Plünderungen, Hexenverbrennungen, Aufständen, Kriegen, Ebbe und Flut, Judenvertreibungen und Naziaufmärschen bis in die jüngste Zeit aus.

»Also, pass auf dich auf, Junge«, meinte Helmut zu mir.

Es war einer der dunkelsten Novembertage, als ich in Fulda aus dem Zug stieg. Die Stadt machte einen ruhigen Eindruck. Keine lauten Jugendlichen auf der Straße, nicht einmal Hunde oder Katzen, es war überhaupt sehr wenig los. Ich ließ meine Sachen im Hotel *Holiday Inn* und ging Fulda entdecken.

Die wenigen Fußgänger, die mir begegneten, liefen zielstrebig und verschwanden schnell in der Dunkelheit. Die lustigen japanischen Touristen, die man oft in deutschen mittelalterlichen Städten trifft, blieben an diesem Tag ganz zu Hause. Also kaufte ich die Fuldaer Zeitung und setzte mich in eine volkstümliche Kneipe.

Die Zeitung berichtete über eine Jungtaubenausstellung und über die letzte Premiere des Volkstheaters: In dem Stück fiel ein junger Mann vom Baum und konnte sich anschließend weder an seine Frau noch an seine Kinder erinnern – ein sehr populäres Motiv bei Volkstheatern im ländlichen Teil Deutschlands und neuerdings auch bei dem Finnen Kaurismäki. Viel und ausführlich berichtete die Zeitung über die Kleinkriminalität in Fulda: Diebe hatten fünf Pakete aus einem Kleinlaster gestohlen, Diebe hatten eine Weihnachtsbude überfallen und ein Schmuckkästchen gestohlen, außerdem hatten Diebe ein Motorrad aus einem Motorradgeschäft entführt und waren in die Gaststätte des Bürgerhauses eingebrochen, wobei sie eine leere Registrierkasse mitgenommen hatten. Es klang, als beherbergte Fulda die armseligsten Diebe der Welt.

Die Kneipe war fast leer, nur an einem Tisch saßen fünf ältere Männer. Sie tranken Bier und schwiegen bedeutungsvoll. Ein Stammtisch, wie es ihn in jeder Kneipe und in jeder Stadt gibt. Die Provinz bietet nicht viele Möglichkeiten zur individuellen Selbstentfaltung. Der vorherrschende Traum vom eigenen

Haus, mit Frau und Kind, die Illusion eines wichtigen Ziels, ist früher oder später vorbei. Dann gehen die Männer in die Kneipe und werden für kurze Zeit asozial, indem sie sich ein paar Biere zu viel einschenken lassen. Manchmal spielen sie Karten oder fassen der Kellnerin an den Hintern, was nicht als sexuelle Belästigung, sondern als Ausdruck eines wilden, rebellischen Geistes verstanden und akzeptiert wird. Reden tun sie selten, sie haben anscheinend im Laufe der Jahre einander schon alles gesagt, was zu sagen war. Vielleicht aber warteten die Stammtischler nur schweigend, bis ich die Kneipe wieder verließ, um danach über mich zu lästern: Was war das denn für ein netter Junge, bestimmt ein Ausländer, der sollte öfter mal herkommen...

Die *Thalia*-Buchhändlerinnen in der Bahnhofsstraße, drei Frauen, von denen mindestens zwei »Frau Müller« hießen, waren sehr gastfreundlich. Sie machten mich im Vorfeld darauf aufmerksam, dass das Fuldaer Publikum manchmal schwierig sei, also Geduld und Verständnis bräuchte.

»Aber eigentlich ist Fulda eine ganz schöne Stadt«, fügte eine der Frauen Müller hinzu. »Wir haben sehr gute Bahnverbindungen, man kann gut von hier wegkommen.«

»Du erzählst das so, als würdest du fortwollen!«,

empörte sich die andere Frau Müller. »Man kann nämlich auch ganz gut hierher fahren.«

»Ja, das meinte ich natürlich auch«, verteidigte sich ihre Kollegin.

Während der Lesung benahm sich das Fuldaer Publikum gut, viele lachten, andere hörten interessiert zu. Eine alte Dame in der ersten Reihe beobachtete mich aufmerksam und erkundigte sich alle zehn Minuten bei ihren Nachbarn, ob die Lesung schon angefangen habe.

Nach der Lesung bekam ich von den Frauen Müller einen Atlas und ein Buch über Fulda geschenkt. Seit einiger Zeit sammle ich Regional-Literatur. Sie hilft mir, die Menschen in den verschiedenen Gegenden besser zu verstehen. Dieses Fulda-Buch, das in der Stadt seit langem gekauft und gelesen wird und unzählige Auflagen hinter sich hat, hieß »Als der Ami kam. Fulda in der Stunde der Entscheidung«. Der Autor, Herr Lochmann, ein tapferer Wehrmachtsoffizier, war sieben Mal verwundet worden, danach leitete er in Fulda die amerikanische Feuerwehr. 1954 bekam er einen Auftrag von der Fuldaer Volkszeitung, über das Kriegsende in Fulda zu schreiben. Als die Amerikaner schon ganz in der Nähe standen, machten sich die Militärs, die Bürger und Fabrikanten Gedanken, wie man die Übergabe ordentlich regeln

könnte. Dem letzten Befehl von oben, alle zu erschie-
ßen, die Stadt und die Fabriken in die Luft zu jagen,
also nichts dem Feind zu überlassen, wollten die Fuldaer nicht mehr folgen. Also übergaben sie die Stadt
den Amerikanern fast kampflos.

Als Dank für diese tolle Geste plünderten die frei-
gelassenen Zwangsarbeiter wie wild die halbe Stadt,
unter anderem auch die Wohnung des Ortskomman-
danten, der gerade unterwegs war, um mit den Amis
die friedliche Übergabe Fuldas zu verhandeln. Die un-
dankbaren Fremdarbeiter bildeten sogar Banden und
überfielen die Bevölkerung. Die Amerikaner schauten
weg und wollten nicht so richtig helfen. Außerdem
wurde die Stadt trotz aller Bemühungen doch noch
ordentlich bombardiert.

Herr Lochmann fand heraus, wie es dazu kam: Ausgerechnet ein jüdischer Junge aus Fulda war schuld.
Lange vor dem Krieg hatte die Stadt bereits ihre jü-
dische Bevölkerung entfernt und ihre Häuser enteig-
net. Die Familie des Fuldaer Jungen Erwin konnte
sich freikaufen und aus dem KZ Buchenwald nach
England auswandern. Danach flog der Junge nach
Amerika, wo er dann Obergefreiter in der Luftwaffe
wurde. Laut Herrn Lochmann hatte Erwin nur einen
Traum: Fulda zu bombardieren! Aber wie kann ein
einfacher Soldat eine Bombardierung organisieren?

Der Junge schrieb immer wieder lange Briefe an seine Vorgesetzten über die Notwendigkeit der sofortigen Bombardierung Fuldas, denen er selbst gemalte Skizzen über die Lage aller angeblichen Waffenfabriken in seiner Heimatstadt beifügte.

Mit großem Vergnügen markierte er auch das enteignete Haus seines Vaters auf den Karten sowie auch andere Fuldaer Ziele, die er für unumgänglich hielt. Der junge Fuldaer musste lange warten. Die amerikanische Luftwaffe hatte sich erst einmal mit anderen, wichtigeren Zielen zu beschäftigen. Langsam zweifelte Erwin daran, dass die Air Force jemals darauf eingehen würde, sein Fulda zu bombardieren. Dann aber rief ihn eines Tages sein Vorgesetzter zu sich und zeigte ihm die Luftaufnahmen der zerstörten Gebäude: Es hatte also doch noch alles geklappt! Sein persönlich wichtigstes Ziel, das Haus, das die Nazis seiner Familie weggenommen hatten, wurde sechs Mal bombardiert.

Herr Lochmann zitierte in seinem Buch Auszüge aus einem Interview mit Erwin: »Schade, dass die Amerikaner niemals starke Kräfte über mein Ziel schickten«, beschwerte er sich darin. »Aber ich glaube trotzdem, dass ich alles getan habe, was ich konnte.«

»Nur wenige werden das bezweifeln«, kommentierte Herr Lochmann.

»Der einzige Wunsch, den Erwin noch hat, ist, eine Inspektion seiner Luftschlacht durchzuführen und die Bombenkrater zu prüfen«, so beendet der Autor sein Buch. Nach meinen Berechnungen müsste Herr Lochmann bereits hundert Jahre alt sein und Erwin jetzt über neunzig.

Ob der alte Junge seinen Traum jemals verwirklicht hat, überlegte ich und ging selbst am nächsten Morgen durch Fulda, um die Inspektion durchzuführen. Hier mein Bericht: Nichts da, keine Bombenkrater, keine zerstörten Gebäude, überhaupt keine Spur vom Krieg, alles hübsch restauriert oder neu aufgebaut. Eigentlich wollte Erwin mit seinen Bomben das Böse treffen und nicht irgendwelche Gebäude. Das Böse lässt sich aber anscheinend nicht aus der Luft vernichten.

Am Bahnhof kaufte ich mir noch ein anderes Buch: »Fulda – lebenswert, liebenswert«, um meine Kenntnisse über die Stadt weiter zu vertiefen.

»Seit 1960 besteht eine Patenschaft mit dem Minenjagdboot Fulda M1068 der Bundesmarine«, stand darin. Die Autoren sind nach eigenen Angaben auf der Suche nach Zeichen, »mit denen das in der Vergangenheit angelegte und sich im Gegenwärtigen abzeichnende Grauen richtig gedeutet werden kann«. Inzwischen soll das 45 Jahre alte Schiff längst zu

Schrott gesegelt sein. Darüber hätte sich der Sachsenführer Widukind bestimmt gefreut. Die Entchristianisierung Sachsens ist also noch nicht ganz abgeschlossen.

Lesen-Lesen in Baden-Baden

noblest
~~nobelest~~

Es gibt nicht viele Orte, die einen Bindestrich in ihrem Namen haben. Das sind die Adligen unter den Städten. Wie auch bei Menschen wird ihr Adel oft nicht durch eine ausgeprägte Geistigkeit oder imposantes Äußeres bestimmt, sondern allein durch den Namen. In Russland waren es Ustj-Kamenogorsk und Kamenev-Posad, in Deutschland sind es solche Orte wie Clausthal-Zellerfeld, Bruchhausen-Vilsen und Villingen-Schwenningen. Das hat Klang. Das muss in das Deutschlehrbuch, mit dem die Ausländer hier integriert werden sollen. In diesem Buch stehen nur solche nichts sagenden Sätze, wie »Hans und Karin fahren von Ulm nach Berlin« – für jedes Kind zugänglich. Von Villingen-Schwenningen nach Clausthal-Zellerfeld sollten Hans und Karin fahren. Nur dann ist die Integration vollzogen, dachte ich im Zug auf dem Weg nach Baden-Baden.

Unglaublich gesund soll diese Stadt sein, fast alle

Bewohner würden es schaffen, hundert Jahre alt zu werden, erzählte mir die erste Vorsitzende der Turgenew-Gesellschaft, die mich zusammen mit der städtischen Buchhandlung *Gondrom* nach Baden-Baden eingeladen hatte. Vor allem wegen der vielen Thermen, die ein heilendes Wasser tief aus der Erde nach oben pressen. Dieses Wasser wird seit Hunderten von Jahren von den Bewohnern regelmäßig aus kleinen Bechern getrunken. Manchmal baden sie auch darin – so einfach kann das Rezept des ewigen Lebens sein.

Die Unsterblichkeit hat aber ihren Preis, keine private Lebensversicherung will dabei helfen. Also braucht man das notwendige Kapital für eine ewige Existenz. Deswegen gibt es im kleinen Baden-Baden mit seinen 40 000 Einwohnern fast tausend real existierende Millionäre. Und es werden immer mehr. Selbst diejenigen, die erst mit sechzig nach Baden-Baden gezogen sind, werden durch das heilende Wasser schnell revitalisiert und sehr sehr alt, egal was sie in ihrem früheren Leben getrieben haben.

Nur einem ist bis jetzt in Baden-Baden schlecht geworden: meinem Kollegen, dem Schriftsteller Thomas Kapielski. Er hatte wahrscheinlich zu lange in dem heilenden Wasser verbracht, beziehungsweise zu viel davon getrunken oder es mit anderen falschen Getränken gemixt. Hinterher musste er kotzen. Seine

Geschichte »Kotzen-kotzen in Baden-Baden« hat ihm viel Ruhm gebracht und viele Bewohner rund um das *Hotel Hirsch* verärgert.

Mein Hotel in Baden-Baden trug den stolzen Namen *German Romantik Hotel Kleiner Prinz*. Frau Effen, die Vorsitzende der Turgenew-Gesellschaft, rief sofort an, als ich das Zimmer betrat.

»In Ihrem Buch haben Sie darüber geschrieben, wie Antoine de Saint-Exupéry das Flugzeug von Joseph Beuys abgeschossen hat. Deswegen haben wir für Sie ein Zimmer im *Kleinen Prinzen* gebucht«, erklärte sie mir am Telefon. »Wie finden Sie das?«

Alle Wände in meinem Zimmer waren mit kleinen, mittelgroßen und richtig großen Kleinen Prinzen beklebt, die mich beobachteten. Alle trugen eine Krone, manche von ihnen hatten dazu noch Flügel.

»Eine sehr lustige Idee!«, sagte ich ins Telefon.

Frau Effen, die eigentlich Renate hieß, und ihr Mann, der genauso wie Turgenew in dem alten sowjetischen Lehrbuch für klassische Literatur aussah, holten mich vom Hotel ab. Wir gingen zu Fuß durch die Stadt, an vielen Boutiquen, teueren Schmuckläden und Antiquariaten vorbei. Lebensmittelläden waren dagegen nirgends zu sehen. Wahrscheinlich waren die Millionäre inzwischen voll auf Heilwasser umgestiegen und lebten ganz ohne Brötchen.

Renate erzählte mir vom russischen Leben in Baden-Baden. Im 19. Jahrhundert haben hier in dem Spielkasino beinahe alle berühmten russischen Dichter und Denker ihr Geld gelassen. Besonders viel Mühe gaben sich die Schriftsteller. Tolstoj, Dostojewskij und Gogol kamen immer wieder hierher, um sich von Russland zu erholen und ihre Gagen in einer angenehmen Atmosphäre zu verballern. Mit diesem Geld wurde Baden-Baden zum größten europäischem Kurort ausgebaut. Die Baden-Badener selbst durften noch bis vor ein paar Jahren nicht spielen, weil die Stadt für ihre Bürger haften musste. Deswegen tranken sie bloß ihr Heilwasser und wurden immer gesünder, während die Russen ihr Geld verspielten, durchdrehten, die Sinnlosigkeit des Rouletts auf ihre Literatur übertrugen, in ihrer Verzweiflung Romane schrieben, die in Russland großen Unmut säten, drei Revolutionen hervorriefen und das Land für ein ganzes Jahrhundert ins Verderben stürzten.

Zum Glück hatten aber nicht alle Russen in Baden-Baden gespielt. Der russische Schriftsteller Iwan Turgenew zum Beispiel spielte nie, obwohl er zehn Jahre in Baden-Baden lebte. Damals folgte er seiner Geliebten Polina Viardo und ihrem Mann überallhin. Sie führten zu dritt ein durchaus gesundes Leben in Baden-Baden, tranken zusammen Tee und unterhielten sich über dies und das. Literaturwissenschaftler fanden heraus, dass mindestens eines der zahlreichen Viardo-Kinder von Turgenew stammte.

1872 schloss der damalige Kaiser das Kasino, weil er den Spielbetrieb unmoralisch fand. Sofort verließen die ausländischen Gäste die Stadt. Ohne Spielbetrieb verkümmerte Baden-Baden allmählich zu einem Dorf. Erst Hitler setzte 1933 das Kasino mit seinem Spielbetrieb wieder in Gang. Er wollte, dass die Ausländer wieder nach Deutschland zum Spielen kamen. 1945 kamen auch tatsächlich die Franzosen nach Baden-Baden, sie waren jedoch nicht zum Spielen da, sondern ernannten dieses Sanatorium zur Hauptstadt ihrer Besatzungszone und bauten viele Häuser in Briegelacker am Rand von Baden-Baden.

Seit 1990, als die Alliierten nach und nach wegzogen, kamen auch wieder Russen nach Baden-Baden. Diesmal waren es keine Dichter und Denker, sondern Russlanddeutsche und Asylsuchende, die in die leer stehenden französischen Neubauten in Briegelacker einquartiert wurden. Auf diese Weise bekam Baden-Baden seinen ersten sozialen Brennpunkt. Aber auch reiche Russen der neuesten Zeit kamen nach Baden-Baden, um sich einmal wie Dostojewski zu fühlen. Seitdem macht Renate Stadtführungen auf Russisch. Sie selbst hat noch in den Sechzigerjahren Slawistik studiert und bereits 1968 in Prag ein Praktikum absolviert. Dort hatte sie sich auch mit sowjetischen Panzerfahrern unterhalten.

»Was habt ihr hier zu suchen?«, fragte Renate die Jungs.

»Wo haben Sie so gut Russisch gelernt?«, fragten die Panzerfahrer zurück.

»Wo wohl, in Deutschland«, meinte Renate.

»Hörst du, ich hab's dir doch gesagt«, rief der Panzerfahrer seinen Kameraden zu, »wir sind in Deutschland!«

Weil sie die Sprache so gut beherrschte und Turgenew im Original gelesen hatte, wurde Renate zur Ersten Vorsitzender der Turgenew-Gesellschaft von Baden-Baden gewählt. Das Geschäft mit den Stadtführungen in russischer Sprache lief gut. Die Neureichen waren in der Regel zumindest am Vormittag sehr kulturinteressiert. Sie bestellten eine Stadtführung für den nächsten Tag, gingen dann ins Kasino oder ins Restaurant und konnten am nächsten Tag nicht mehr rechtzeitig aufstehen. Trotzdem zahlten sie brav. Manche wollten aber auch alles ganz genau wissen: In welchem Hotel hat Turgenew gefrühstückt, und an welchem Tisch hat Dostojewskij gespielt. Renate weiß das alles genau, sie hat schon mehrere Bücher über die Russen in Baden-Baden geschrieben.

Die Buchhandlung *Gondrom* ist genauso schick wie alles in Baden-Baden, mit großen Bildern an der Wand und einem Springbrunnen in der Mitte. Die Buchhändler führen dort ein vielseitiges Programm mit dem Schwerpunkt »Exotik«. Meine Lesung, die zwischen dem Diavortrag »Die Wüsten des Irak« und dem Diavortrag »Paris bei Nacht« stattfand, war ausverkauft. Vor Beginn der Veranstaltung hielt Renate eine kurze Rede:

»Seit Jahren versuchen wir, Lesungen zu organisieren«, sagte sie. »Wir haben aus Dostojewskij und Turgenew vorgelesen, und keiner kam. Zur Lesung von Herrn Kaminer haben wir nun zum ersten Mal ein volles Haus. Deswegen möchte ich Ihnen Herrn Kaminer als Turgenew des 21. Jahrhunderts vorstellen.«

Das Publikum schwieg misstrauisch. Ich fand die Idee jedoch frisch und originell. Nach der Lesung musste ich viele Bücher signieren. Ich schrieb fünfzig Mal das Wort »Turgenew« und hundert Mal »Baden« – weil doppelt. Danach studierte ich das Buchsortiment des Hauses. Überall standen große lange Kartons herum. In solchen Kartons werden in Amerika Maschinengewehre verkauft. Obendrauf war ein alter Mann abgebildet, der die Hände hochhielt, darunter stand »Kanonen« – zum Preis von 149,- Euro. Inzwischen traute ich dieser unwirklichen Stadt alles zu. Werden etwa hier in Buchläden die Knarren zur Erschießung überalterter Millionäre verkauft? Bei genauerer Betrachtung erwies sich das Produkt jedoch als »Literatur-Kanon« von Reich-Ranicki: die gesamte deutsche Literatur in einem Zwanzig-Kilo-Karton zusammengepresst. Die beste Geschenkidee für einen schadenfrohen Weihnachtsmann. Ich versuchte mir das Gesicht des Glücklichen vorzustellen, der diesen Kanon unter seinem Weihnachtsbaum fand.

Am nächsten Tag führten mich Renate und ihr Mann, der plötzlich gar nicht mehr wie Turgenew, sondern eher wie Hemingway aussah, durch die Stadt. Renate zeigte mir die Wohnung von Dostojewskij, den Turgenewkopf im Kurpark und die prächtigen Räume des Kasinos. Dort hing ein Bild an der Wand, das den Spielbetrieb im 19. Jahrhundert darstellte. An einem großen Rouletttisch saß ein halbes Dutzend russischer Schriftsteller, die ziemlich entnervt an ihren Bärten kauten. Der Croupier dagegen sah mit seinen Koteletten wie Goethe in seinen besten Jahren aus. Er grinste zufrieden und war eindeutig der Gewinner in dieser Runde. Ich beschloss, mir keinen Bart wachsen zu lassen und nicht Turgenew, sondern Goethe nachzueifern. Renate sagte ich nichts davon, ich wollte sie nicht enttäuschen. Wir versprachen, in Kontakt zu bleiben. Renate wollte das russische Leben in Baden-Baden aktivieren, zum Beispiel eine Russendisko in der Spielbank veranstalten.

»Was spielt ihr da für Musik? Ist das romantische russische Folklore?«, fragte sie.

»Das ist romantischer Punk«, erklärte ich, »trashig, aber sehr gefühlvoll. Diese Musik kann Wunder bewirken. Neulich brach ein Mädchen in der Disko vor Leidenschaft zusammen, sie musste ins Krankenhaus gefahren werden. Ein Rollstuhlfahrer konnte plötzlich wieder gehen. Und ein anderer Mann hat mit seinem Kopf vor lauter Leidenschaft ein Bierglas zerschlagen.«

Ob die Russendisko die richtige Veranstaltung fürs Kasino wäre, konnte ich allerdings nicht versichern. Wir verabschiedeten uns. Ich fuhr weiter durch Baden-Württemberg nach Reutlingen, Tübingen und Ludwigsburg. Überall entdeckte ich die Kanonkartons in den Buchläden: Weihnachten stand vor der Tür.

»Hat eigentlich schon einer diese Dinger gekauft«, fragte ich einen rebellisch aussehenden Buchhändler in Ludwigsburg.

»Aber klar doch, meine Eltern!«, sagte er lachend. »Sie wollen es ihrem Neffen zu Weihnachten schenken. Der Junge ist erst fünfzehn und weiß noch nichts mit seinem Leben anzufangen. Jetzt hat er für die nächsten vierzig Jahren ganz schön was zu tun.«

Treppe ins Nichts
(Kassel – Schwerin – Erfurt – Vellmar)

Je länger ich durch Deutschland toure, umso rätsel-
hafter wird dieses Land. Die Konturen seiner Leitkul-
tur werden durch unzählige Baustellen bestimmt. Alles
wird abgerissen und um- oder wieder aufgebaut. In
Kassel musste vor kurzem »Die Treppe ins Nichts«
dran glauben: ein Überbleibsel der letzten Documen-
ta. Eigentlich sollte diese Treppe im öffentlichen Raum
die grenzenlose Freiheit des menschliches Geistes
symbolisieren, doch dann zog das Kunstwerk jeden
Abend die sozial Schwachen und Alkoholabhängigen
aus Kassel und Umgebung an. Sie machten es sich auf
der Treppe bequem, manchmal fielen auch welche he-
runter, ins Nichts. Das missfiel der Öffentlichkeit und
der Stadtverwaltung, sie ließen das Objekt über Nacht
verschwinden. Aber mit einem Kunstwerk darf man so
nicht umgehen. Jetzt muss die Stadt fast eine viertel
Million Euro Entschädigung an den Künstler zahlen.

In Halle war es ein anderes Objekt, das abgerissen

werden sollte: die Betonfahne am Hansering gegenüber dem gerade errichteten Telekom-Gebäude. Die
CDU hatte vom Stadtrat den Abriss der sozialistischen Betonfahne gefordert, weil es in Halle, so die
CDU, »keinen ideologischen Rahmen mehr für solche
Denkmale gibt«. Die SPD kam mit dem Gegenvor-
schlag, die Betonfahne neu zu gestalten und in »Eu-
ropafahne« umzubenennen. Jetzt sollte das Volk entscheiden, aber wahrscheinlich würde sie danach abgerissen, weil die Mehrheit der Hallenser sich von
dem Denkmal bedroht fühlte.

In Schwerin verlor vermutlich die ganze Stadt ihren
ideologischen Rahmen. Deswegen wurde Schwerin
nun abgerissen: Damit die Touristen aus Westdeutschland, wenn sie dort einmal vorbeischauen sollten, sich
wohl fühlten. Doch die Reiselustigen mit den dicken
Brieftaschen ließen auf sich warten. Stattdessen standen überall lästige Kräne herum.

»Gehen Sie geradeaus bis zum roten Kran, dann
links bis zum gelben und dann wieder links«, so erklärte mir ein Einheimischer den Weg zum Hotel.

In Erfurt haben ein paar Geisteswissenschaftler mit
zweieinhalb Brettern eine neue »Krumme Brücke«
über die Gera gebaut und tragen nun gegen eine kleine Aufwandsentschädigung alle reichen Touristen in
einem Plastikstuhl ans andere Ufer. Dort steht die be-

rühmte Barfüßlerkirche. Wo die Gemeinde gerade alle herzlich zu einem Vortrag mit anschließender Diskussion zum Thema »Gott ist tot. Wer wird der Nächste sein?« einlädt. Ich wollte da unbedingt hingehen, hatte aber keine Zeit. Man erwartete mich ganz früh in Vellmar. Also ging ich zurück zum Gasthof *Nikolai*, wo man mich während meines Erfurt-Aufenthaltes stationiert hatte, und fiel ohne Licht anzumachen ins Bett.

Als ich früh am Morgen aufwachte, war mein ganzer Körper mit einer braunen Masse beschmiert, die aber gut nach Vanille duftete. Es war die Begrüßungsschokolade, die mir von Mitarbeitern des Gasthofs in großen Mengen unter die Bettdecke geschoben worden war. Das war hundertprozentig eine Provokation! Und dann war auch noch die Wasserleitung verstopft. Ich leckte mich schnell sauber und fuhr weiter nach Vellmar.

Mit den Worten »Gott sei Dank, dass Sie gekommen sind!« begrüßte mich die freundliche Buchhändlerin am Bahnhof. »Nicht jeder Schriftsteller aus Berlin schafft es nämlich, bei uns in Vellmar anzukommen. Letztlich hatten wir einen Herrn, der sich weigerte, den Zug zu verlassen, und mit demselben sofort wieder nach Hause zurückfuhr. Und vorige Woche sollte eine Frau bei uns lesen, die ein Buch über die Cousine von Eva Braun geschrieben hat. Wir haben sie bis zur Buchhandlung gefahren, sie stand schon vor der Tür, und plötzlich musste sie sich schrecklich übergeben. Hier, sehen Sie diese Flecken? Auf dieser Treppe ist es passiert. Ich denke, sie hatte einfach einen bösen Virus mit sich geschleppt. Außerdem ist Eva Braun ein schwieriges Thema. Kein Wunder, dass sie kotzen musste.«

Nach der langen Reise hatte ich die Orientierung verloren. Deswegen fragte ich die Dame, ob ich noch im Osten oder schon im Westen wäre, am nächsten Tag musste ich nämlich weiter nach Dresden.

Die Frau war erstaunt: »Man merkt wohl die Unterschiede nicht mehr«, meinte sie.

In der Frühe steckte ich schon wieder im Zug. Neben mir saßen zwei Großväter und erzählten sich, in der Nähe von Eisenach sei schon wieder eine Frau von Außerirdischen geschwängert worden. Aber das regionale Fernsehen ignoriere den Vorfall. Überhaupt würden die Medien die wirklichen Probleme der Bürger verachten. Der Zugschaffner, ein großer Mann mit breiten Schultern, kahlem Kopf und einer Narbe quer durchs Gesicht, erinnerte mich stark an den Haupthelden des alten sowjetischen Knast-Klassikers »Feuer hinter Gittern«. Ich konnte mich noch gut an die Geschichte erinnern, nur den Namen des Schauspielers hatte ich vergessen.

»Schauen Sie mich nicht so an, junger Mann«, sagte der Zugschaffner plötzlich zu mir, als ich ihm die Fahrkarte hinhielt. »Meine Frisur sagt nichts über meine politischen Überzeugungen aus. Mir wachsen einfach nur keine Haare mehr auf dem Kopf, das ist alles.«

Ich war blamiert. Mit schlechtem Gewissen kuckte ich aus dem Fenster: Leere bis zum Horizont. Feuchtes Gras, nackte Bäume und rostige aufeinander gestapelte Röhren rasten vorbei – Deutschland im Herbst.

Das Ende der Geographie
(Waldbröl)

Ich stand auf einem Hügel unter einem großen Schild. Aus dem Morgennebel hörte man Vögel zwitschern. Seltene Autos rauschten an mir vorbei und verschwanden am Horizont. Auf dem Schild stand »Auf Wiedersehen in Waldbröl! Ihr Verschönerungsverein.«

»Gratuliere Wladimir«, sagte ich zu mir selbst. »Diese unsere Welt hat viele Enden. Und eines davon hast du gerade erreicht.«

Einen Monat lang hatte ich in Berlin meinen Freunden und Kollegen bei jeder Gelegenheit erzählt, dass ich demnächst nach Waldbröl fahren würde. Keiner von ihnen hatte je etwas von diesem Ort gehört. Sogar die alte journalistische Garde, Leute die sich in deutscher Geographie gut auskennen, schüttelten nur den Kopf, als sie »Waldbröl« hörten. Mein Freund Rainer lud mich zu einer großen Veranstaltung nach Heidelberg ein. »Ich kann leider nicht, ich muss nach Waldbröl«, schrieb ich ihm zurück.

Er rief mich an und lachte. »Ich wäre nicht sauer, wenn du einfach sagen würdest, ich will nicht nach Heidelberg, aber gib zu, dieses Waldbröl, das hast du dir doch ausgedacht«, meinte er.

Tatsächlich schien dieses Städtchen der unbekannteste Ort Deutschlands zu sein. Ich war von der bevorstehenden Reise begeistert, ich wollte Waldbröl entdecken, wie einst Kolumbus Amerika. Ich werde diesen Ort zurück in das geographische Bewusstsein Deutschlands befördern, dachte ich.

Und nun stand ich da. Die Straßenbeschriftung brachte mich auf die Gedanken, dass ich das falsche Waldbröl erwischt hatte. Fürs Erste wäre es nicht schlecht, meinen Gastgeber zu finden. Aber mein Handy funktionierte hier nicht. Es war alles sehr ruhig hier. Plötzlich kam ein alter Mann mit einem Hund an mir vorbei.

»Entschuldigen Sie«, rief ich ihm zu. »Entschuldigen Sie!«

Er reagierte nicht und ging weiter seiner Wege. Sprachen sie hier überhaupt Deutsch? Würde ich für den Rest meines Lebens etwa unter diesem Schild stehen müssen? Tapfer unternahm ich einen Erkundungsversuch. Schließlich entdeckte ich das Hotel *Am Boxberg*, in dem ich laut meines Reiseplans übernachten sollte. Das Hotel gehörte drei serbischen Brüdern und einer alten Oma, die taub war. Die Brüder sahen aus wie die arabischen Terroristen auf den Fahndungslisten des FBI: schwarze Bärte und kleine Glatzen dazu. Aber in Waldbröl hatten sie nichts zu befürchten. Hier waren sie vor allen Geheimdiensten der Welt sicher.

Das Hotel selbst erinnerte an das leer geräumte Dracula-Schloss aus dem Film »Der Tanz der Vampire«. Überall Staub und Spinnennetze. Alle Türen waren offen, kein Gast war zu sehen. Als hätte hier eine Neutronenbombe eingeschlagen. Ich fragte die Hotelbesitzer, ob sie die Buchhandlung im Ort kannten. Weder die Brüder noch die taube Oma konnten mich verstehen. Ich klopfte an alle Türen, in der Hoffnung, einen Ansprechpartner zu finden. Aber alles war still. Nur aus dem Keller kamen irgendwelche Geräusche, die sich wie Frauenstimmen anhörten. Die Tür zum Keller war aber verschlossen.

Die Brüder schienen bester Laune zu sein. Sie umzingelten mich, rieben sich die Hände und warfen hungrige Blicke auf mich. Ihre Gesichter waren blass. Den letzten Gast hatten sie hier bestimmt schon vor Jahren ausgesaugt. Der eine fragte mich in gebrochenem Deutsch, ob ich auch den Keller anschauen wollte. Er holte einen großen Schlüsselbund aus der Tasche. Für wie blöd hielten die mich eigentlich? Ich tat so, als würde ich tatsächlich mit ihnen da hinuntersteigen, und rannte dann stattdessen so schnell wie möglich zur Tür, die ins Freie führte. Zum Glück war es draußen noch hell, sie konnten mich also nicht verfolgen.

Zwanzig Minuten später war ich wieder an meiner Ausgangsposition angelangt – ich stand unter dem großen braunen Schild »Auf Wiedersehen in Waldbröl. Ihr Verschönerungsverein« und sah mir die Autos an. Ein alter Mann ging mit einem Hund an mir vorbei. Es war ein anderer alter Mann mit einem anderen Hund. Vielleicht hatte ich diesmal mehr Glück.

»Entschuldigen Sie!«, rief ich ihm zu.

Der Mann blieb stehen und schaute interessiert in meine Richtung. Was hatte ich ihn eigentlich fragen wollen? Ich hatte die verdammte Frage vergessen. Ich schwieg, der alte Mann schwieg auch, sein Hund bellte. Es fing an zu regnen. Ich lehnte mich an das Schild und zündete die letzte Zigarette an. Es war heutzutage nicht leicht, ein Kolumbus zu sein.

Fjorde
(Kiel – Osnabrück – Northeim)

In einer mittelgroßen deutschen Kleinstadt geben manchmal die Geschäfte auf dem zentralen Platz Auskunft über die Besonderheiten des innerstädtischen Lebens. Ein Call-Center mit dem an die Tür gemalten Werbeslogan »Preiswert telefonieren mit fernen Ländern« belegt schon einmal einen hohen Ausländeranteil in der Bevölkerung. Denn mit fernen Ländern zu telefonieren ist auf keinen Fall eine typisch deutsche Sitte. In solchen Einrichtungen werden lange, manchmal stundenlange Gespräche mit dem Ausland geführt. Damit versuchen die Nichtdeutschen, ihr Heimweh auszutoben. Fortbildungszentren sowie auch zahlreiche Erotik-Kinos rund um den Bahnhof deuten auf Arbeitslosigkeit hin. Stinkende, in den Himmel rauchende Schornsteine und Bürohochhäuser jeglicher Art sowie schlecht besuchte Bierkneipen signalisieren dagegen eine gewisse Vollbeschäftigung.

Natürlich lässt sich mit solchen Beobachtungen keine Statistik anlegen, denn die vielen Fortbildungszentren und Erotik-Kinos könnten genauso gut auch das Gegenteil beweisen, so wie rauchende Schlote und Büros nichts über die momentane Auftragslage aussagen. Mit Sicherheit kann man jedoch sagen: Die Anwesenheit einer Punk-Clique, die mit großen schmutzigen Hunden herumläuft und Fußgänger anpumpt, weist auf ein vielseitiges kulturelles Angebot in der Stadt hin. Sogar die Hunde allein, ohne ihre Begleiter, geben der Kleinstadt schon einen Hauch von Weltläufigkeit. Mehrmals konnte ich nämlich feststellen: je größer die Hunde, umso mehr Kultur in der Stadt. Letzteres läßt sich nicht ganz logisch ableiten, stimmt aber trotzdem.

Ein Widerspruch begleitete mich ständig auf meinen innerdeutschen Reisen: Je größer eine Stadt war, desto weniger bekam man von ihr zu sehen. Oft sogar gar nichts. In Kiel zum Beispiel waren es die Fjorde, die ich nicht sah. Ausgerechnet auf diese Fjorde war mein Gastgeber besonderes stolz. Wir fuhren mit dem Auto an der Ostsee entlang, und er erzählte mir, wie wunderschön die Fjorde dort draußen seien. Die Landeshauptstadt von Schleswig-Holstein war aber wie immer im Dezember in dicken Nebel gehüllt, man konnte nicht einmal den eigenen Mercedesstern vor der Nase erkennen.

»Die Fjorde sind das Herz unserer Stadt«, darauf bestand mein Gastgeber.

»Tut mir Leid, aber ich sehe nichts«, antwortete ich.

Es war eine peinliche Situation. Ich wusste nicht einmal, was Fjorde sind.

»Wo fahren Sie morgen hin?«, fragte mich mein Gastgeber, Herr Petersen.

»Nach Osnabrück. Vielleicht werde ich dort die Fjorde zu sehen bekommen«, antwortete ich.

Herr Petersen lachte. »In Osnabrück werden Sie nichts zu sehen bekommen, das ist ein ganz kleines Kaff, fünfmal kleiner als Kiel, und kulturmäßig absolut tote Hose«, meinte er.

Als ich am nächsten Tag in Osnabrück mit dem Journalisten Markus von der *Osnabrücker Zeitung* sprach, war er über diese Einschätzung seiner Heimatstadt empört. Er meinte, mit seinen 150 000 Bewohnern wäre Osnabrück fast genauso groß wie Kiel und eine Kreishauptstadt noch dazu.

»Aber was die Kultur betrifft, ist hier wirklich nicht viel los«, bestätigte er.

Und tatsächlich hatte auch ich auf dem Weg vom Bahnhof zum Hotel keinen einzigen großen Hund gesehen – ein deutliches Zeichen kultureller Stagnation. Dafür blühte in Osnabrück das Geschäftsleben. Die regionale Presse berichtete fast täglich über die Er-

öffnung eines neuen Gewerbes. Für den Eröffnungs-
tag des zweiten Hot-Dog-Restaurants am Bahnhof
hatte sich der Besitzer etwas ganz Besonderes einfallen lassen: Zwei Stunden lang gab es in dem Laden
alles umsonst. Die Zeitung schrieb daher stimmungs-
voll: »Zwei Stunden lang platzte der Laden buchstäb-
lich aus allen Nähten.« Doch schon am nächsten Tag
bekam das Hot-Dog-Geschäft starke Konkurrenz:
Am Bahnhof wurde eine neue McDonalds-Filiale er-
öffnet. Unter dem einfallsreichen Namen »McDonalds am Bahnhof« sorgte sie nun für eine schnelle
und vertraute Form des Verspeisens von Buletten.

In jedem zweiten Artikel ging es um Gastronomie.
Die Botschaft des *Osnabrücker Kuriers* war klar zu verstehen: Die Dienstleistung entwickelte sich bombig.
Die Osnabrücker würden nicht verhungern, jedenfalls
nicht heute und nicht morgen. Aber auch mit der Kriminalität war in der Stadt alles in Ordnung. An jenem
Abend, als ich noch die Fjorde in Kiel gesucht hatte,
war in Osnabrück eine Edeka-Filiale ausgeraubt worden. Die Polizei staunte: »Beide Räuber sprachen akzentfrei Hochdeutsch«, stand in der Zeitung. Sie hatten Pistolen und Sturmhauben getragen, waren beide
etwa 1,90 groß gewesen und hatten die Edeka-Filiale
bis auf den letzten Pfennig ausgeraubt; danach hatten
sie sich aus dem Staub gemacht.

Ich erzählte Markus, dass ich am nächsten Tag nach Northeim fahren müsse und ob er schon einmal dort gewesen sei.

»Northeim ist doch keine Stadt, das ist eine Autobahnausfahrt, was soll man dort?«, lachte er. Demnächst wollte er aber auch Osnabrück den Rücken kehren und mit seiner Familie nach Berlin ziehen. Wegen der Kultur.

Am nächsten Tag wünschte ich noch schnell allen in der Bahnhofshalle von Osnabrück guten Appetit und stieg dann in den Zug nach Northeim. Zwei Polizisten durchsuchten die Abteile, sie baten meinen Nachbarn, der akzentfrei Deutsch sprach und sehr groß war, sich auszuweisen. Um mich kümmerten sich die Polizisten nicht. Mit meinem Akzent kam ich diesmal als Räuber nicht in Frage.

Northeim erwies sich als gar nicht so klein – es hatte über 30 000 Einwohner. Und das Publikum war sehr aufgebracht, als ich mitten in der Lesung erzählte, dass es in Osnabrück Leute gäbe, die Northeim für eine Autobahnausfahrt halten. Ein alter Mann hob die Finger und schrie: »Zwei! Zwei Ausfahrten haben wir! Nord und West!«

Abends landete ich in dem besonders geschätzten *Hotel Schere*, in dem schon alle möglichen Berühmtheiten übernachtet hatten. Nun schmückten ihre Fotos mit Autogrammen die Wände der Lobby. Ein Alpen-Trio schwor dem Hotel ewige Liebe – dazu lächelten jedoch vier blonde Brüder aus Tirol in die Kamera.

»Warum nennen sich die Jungs Trio«, fragte ich die Empfangsdame, »obwohl sie ganz deutlich nach einem Quartett aussehen?«

»Keine Ahnung«, meinte sie, »ich interessiere mich nicht für Volksmusik, ich liebe Brahms.«

Neben den Alpenmännern hing ein Foto von Roberto Blanco – mit der knappen Bemerkung: »*Hotel Schere* toll! Wunderbar! Bis zum nächsten Mal!« Dieses Foto entdeckte ich in jeder zweiten Stadt. Es gab anscheinend in Deutschland nur ganz wenige Hotels, in denen Roberto Blanco noch nicht übernachtet hatte. Bestimmt hatten wir schon mehrmals dasselbe Zimmer. Und auch mich bat man, im Gästebuch des Hotels ein paar warme Worte zu hinterlassen: »*Hotel Schere*! Toll! Wunderbar!«, schrieb ich fleißig ab. Ob ich nicht ein Photo dabeihätte, fragte mich die nette Hotelbesitzerin. War ich denn der neue Roberto Blanco? So weit durfte es nicht kommen!

Kochtöpfe
(Quedlinburg)

In den letzten zehn Jahren haben die Leute im Osten gelernt, auch ganz ohne Arbeit zu leben und trotzdem zufrieden auszusehen. So wirkten jedenfalls die Einheimischen in Quedlinburg auf mich. Es gab dort 1200 robuste Häuser im »Niedersächsischen Baustil«, saubere Straßen, einen sich schlängelnden Bach und frische Luft. Die Stadt gilt als »Wiege der deutschen Geschichte« und bekam seit 1994 Geld von der UNESCO, weil sie als »Weltkulturerbe« anerkannt war. Vor der Wende waren die meisten Bewohner in zwei großen Fabriken beschäftigt gewesen: die eine hatte Messtechnikgeräte produziert, die andere hatte sich außerhalb der Stadt in Thale befunden und Kochtöpfe aus Stahl gepresst. Das Eisenhüttenwerk hatte mehr als 9000 Arbeiter aus Quedlinburg und Umgebung beschäftigt. Die Wiedervereinigung sorgte dann für frische Luft, sie befreite die Stadt von den sozialistischen Industriebetrieben. Vom Eisenhüttenwerk blieb nur ein kleiner Emaillierbetrieb mit 150 Beschäftigten übrig; die Messtechnikproduktion wurde gänzlich eingestellt.

Offiziell wurde die Arbeitslosigkeit in der Stadt mit 25% angegeben, doch in Wirklichkeit lag sie bei fast 100%. Die 25 000 Einwohner drehten aber deswegen nicht durch, im Gegenteil: Sie wirkten sehr freundlich und gelassen. Nur wenige hatten die Stadt verlassen, um ihr Glück in den alten Bundesländern zu suchen. Es gab immer noch ein Krankenhaus mit 600 Angestellten, eine Lehrstätte für Friedhofsgärtner und eine Zahnarztpraxis, in der eine blonde russische Zahnärztin namens Helena die Zähne der Quedlinburger vor Karies schützte. Selbst die Quedlinburger Rechten ließen sich von der schönen Helena behandeln. Weil sie schon lange in Quedlinburg lebte, wurde sie als Ausländerin gar nicht mehr wahrgenommen.

»Du gehörst zu uns«, meinten die Rechten.

Derzeit regten sie sich hauptsächlich wegen der Jugoslawen auf, die in einem Ausländerwohnheim am Rande der Stadt vor sich hin vegetierten und angeblich Drogen an die Schüler verkauften.

Die Quedlinburger selbst verdienten ihr Geld beim Arbeitsamt, beim Sozialamt und sogar beim Finanzamt. Die Sozialhilfe war in der Stadt sehr kultiviert. Sogar die Quedlinburger Hunde bekamen einen Popo-

Tagessatz von der Regierung, damit sie ruhig blieben und den Fremden nicht an den Hintern gingen. Ihre Verwandten in Berlin konnten von einer solchen Großzügigkeit nur träumen. Sie wurden dort sogar aus der U-Bahn geschmissen, wenn man sie ohne Maulkorb und ohne Begleitung erwischte. In Quedlinburg bekam man vom Sozialamt außerdem noch einen Kohlezusatz und einen Gartenzusatz gezahlt.

Quedlinburg stand also bombig da. Im Gegensatz zu manch anderen Orten in der Umgebung, die schon fast von der Erdoberfläche verschwunden waren. Von Halberstadt beispielsweise war nur noch die Hälfte übrig, und Wegeleben war gar nicht mehr zu finden – bis auf ein halb abgerissenes Bahnhofsgebäude, auf das ein roter Stern und ein Mann ohne Kopf gemalt waren. Sonst sah man nur Felder weit und breit, über die ab und zu ein Geistertraktor fuhr, der sich wahrscheinlich in der magdeburgischen Provinz verirrt hatte.

In Quedlinburg dagegen brummte das Leben. Die Rentner tranken ihr Bier, die Kinder gingen zur Schule, die Jungen saßen am Marktplatz auf der großen Treppe vor dem Rathaus und rebellierten leise vor sich hin. Eine Portion Harzer Leber mit Gurkensalat wurde für 9,99 DM angeboten. Die Stadt wollte sich in Zukunft noch stärker als deutsche Sehenswürdigkeit vermarkten. Es gab viel zu besichtigen: die alte Burg auf einem alten Berg, Burgberg genannt, zum Beispiel. Von dort hatte man einen herrlichen Blick auf die Kleinstadt und den kleinen Fluss, die Bode.

Eigentlich sah in Quedlinburg jedes Haus wie eine kleine Burg aus, sogar die Sparkasse und die Commerzbank. Alles war hier schön und sauber. Vielleicht hieß die Stadt bald Bad Quedlinburg und lauter Pensionäre aus Niedersachsen wüden hier ihre ehrlich verdiente Rente in die mittelalterlichen Geschäfte der Stadt tragen. Und die Kochtöpfe? Sicherlich würde sie dann niemand mehr vermissen.

Doppelstadt
(München)

Jede Großstadt in Deutschland hat eine Besonderheit, etwas, wofür sie bei den Einheimischen besonders geschätzt wird. Mehrmals fragte ich zum Beispiel
meine Bekannten aus München, was sie an ihrer Stadt
besonders mochten, und immer wieder bekam ich
die gleiche Antwort: »Wir sind so nahe an Italien,
wenn wir wollten, könnten wir zum Mittagessen nach
Florenz fahren«. Ähnlich schwärmte eine Kollegin
von dort: »Ich setze mich ins Auto und schon in wenigen Stunden bin ich in der Schweiz oder in Öster-
reich. Ich könnte jederzeit nach Salzburg in die Oper
fahren.«

Die Menschen ziehen sich in München viel besser
an und sehen einfach gesünder aus als in Berlin. Viele sagen, die Luft sei in München besser, die Bewohner freundlicher und aufgeschlossener, die Bierkrüge
größer und jeder dürfe sein selbst gemachtes Essen
von zu Hause mit in den Biergarten bringen. Man

kann München als eine Art Notausgang Deutschlands betrachten, ein Überdruckventil, aus dem die Deutschen in die übrige Welt hinausströmen.

Mich erinnerte München allerdings an Odessa, den Süden der Sowjetunion. Dort zogen sich die Menschen auch bunt an, sie tranken Bier aus Zwei-Liter-Behältern und brüsteten sich damit, ganz nahe an der Türkei zu sein: Man könnte einfach rüberschwimmen, wenn die Grenzsoldaten mit ihren Maschinengewehren nicht dazwischen wären, meinten sie. Die Bevölkerung von Odessa war mehr als aufgeschlossen und sehr gesprächig. Kaum ging man aus dem Haus, schon wurde man von wildfremden Menschen angesprochen: »Haben Sie heute schon die Zeitung gelesen?« Es gab nie eine richtige Antwort auf diese Frage. Sagte man »Ja«, wurde man sofort mit der nächsten Frage bedrängt: »Und? Was halten Sie von der ganzen Schweinerei?« Wenn man »Nein« sagte, bekam man die halbe Zeitung nacherzählt.

Und so ging es die ganze Zeit. »Haben Sie diesen Film schon gesehen?«, »Können Sie kurz mal meine Tasche halten?«, »Haben Sie einen Zwillingsbruder?«, »Können Sie mir über die Straße helfen?«, »Können Sie mir den Rücken kratzen?«, »Können Sie dies?«, »Können Sie das?« Wenig später fand man sich plötzlich mit einem alten Schwulen auf einem Männerklo wieder und fragte sich, wie es dazu nur hatte kommen können. Die Bewohner von Odessa liebten es außerdem, sich in großen Gruppen zu versammeln und sinnlos durch die Stadt zu ziehen. Das nannten sie flanieren. Als die Sowjetunion sich freiwillig auflöste und die Grenzen nicht mehr so dicht waren, nutzten die Bewohner von Odessa die neue Reisefreiheit am stärksten: Die halbe Stadt war über Nacht verschwunden. Und jedes Mal, wenn ich das Hofbräuhaus in München besuchte, schien es mir, als könnte zumindest ein Teil dieser lustigen Menschen, die dort Korn mit Bier tranken und keine Minute schwiegen, durchaus aus Odessa stammen.

Besonders laut war es dort, als die deutsche Nationalmannschaft bei der Fußballweltmeisterschaft die Amerikaner im Viertelfinale nach Hause schickte. Die Münchner hatten anscheinend von dem großen Bruder die Nase voll. Sie skandierten auf Deutsch »Olé, Olé, Olé« und auf Englisch »Ami go home«! Große Biermengen wurden durch die Luft geschleudert, Würste flogen durch die Gegend. Die Schadenfreude war durchaus nachvollziehbar. Jahrzehntelang waren die Amerikaner immer die Sieger gewesen, die entweder Zigaretten und Schokolade an die armen befreiten Völker verteilten oder auf großen Leinwänden bösartige Vietnamesen, Russen, Kolumbianer, Mexi

kaner oder Deutsche niedermetzelten. Und plötzlich
drehte die deutsche Fußballmannschaft den Spieß
um: Die Guten fuhren nach Hause, die Bösen durften weiterspielen. Es gibt natürlich einen großen Un-
terschied zwischen den beiden Städten München und
Odessa: Odessa ist eine Hafenstadt, und in München
fehlt einfach das Meer.

Neulich versuchte ich, München in Berlin zu finden.
Vor etwa zwei Jahren hatte ich mich vertraglich verpflichtet, jeden Monat im *ZDF-Morgenmagazin* drei
unterschiedliche Orte in Berlin zu präsentieren, die
irgendwie besonders sind, damit alle Frühaufsteher
schon um sechs Uhr morgens staunen können: Schau
mal, was es so alles in Berlin gibt – ziehen wir doch
auch mal da hin. An Themen mangelte es mir nie, weil
man tatsächlich in Berlin alles Mögliche finden kann,
wenn man richtig sucht. Im Juli klärte ich die Zuschauer darüber auf, warum am Bahnhof Lichtenberg
alle Angestellten Russisch können, im August erzählte ich etwas über ein Schiffsrestaurant, in dem man
gleichzeitig Kaffee trinken und angeln kann, außerdem
noch über wild gewordene Wellensittiche, die sich an
der Falkenberger Chaussee eingenistet haben.

Schließlich kam ich auf die Idee, München in Berlin zu zeigen, denn alle größeren deutschen Städte
haben hier ihre Spuren hinterlassen. Nur, wo konnte

das sein?, überlegte ich und schaute aus dem Fenster. Die Bäume und Straßenlaternen auf der Schönhauser Allee waren mit Wahlplakaten beklebt. Vor unserem Haus grinste seit Wochen schon der bayerische Ministerpräsident und Kanzlerkandidat seine Freundin und Parteigenossin Merkel an. Das Plakat sah aus wie eine Brillen-Werbung: Der Kandidat trug eine Zauberbrille, die ihm scheinbar erlaubte, durch seine Freundin hindurchzukucken. Und diese Tatsache amüsierte ihn über alle Maßen. Nur so konnte man sein Grinsen erklären. Unter dem Bild stand eine Botschaft, etwas was immer unter solchen Bildern steht: »Wir denken mit dem Kopf« oder so ähnlich. Ist das München in Berlin?, überlegte ich. Sollte man vielleicht eine ganze Sendung über dieses Grinsen machen? Lieber nicht. Der Kandidat kam zwar aus München, war aber nur vorübergehend hier. Die Politiker kamen und gingen, die Stadt blieb.

Das wahre München fand ich dann eher zufällig in der Weddinger Müllerstraße, in einem Laden mit dem volkstümlichen Namen *Heinrich – Mode und Tracht*. Die Ladenbesitzerin war sehr freundlich. Sie schenkte mir bayerisches Bier ein und erzählte, dass sogar viele Touristen aus Australien und Neuseeland sich für die bayrische Landhaus- und Trachtenmode interessierten. Für Männer gab es Lederhosen in allen

Größen, dazu meterlange Strümpfe und Hüte mit Gamsbart. Für Frauen – Dirndl. Am nächsten Tag besuchte ich, zusammen mit dem Kamerateam, den Laden erneut. Alles lief wie am Schnürchen: Ich probierte die Lederhosen an, dazu ein kariertes Hemd, Strümpfe und Hut und ging aus dem Laden an die frische Luft, um eine Zigarette zu rauchen. Den Türken aus dem Imbiss nebenan blieb der Döner im Halse stecken. Sie kannten solche Klamotten nur aus Pornofilmen wie »Unter dem Dirndl jodelt es« und fühlten sich sofort erregt.

»Wo ist dein Hirsch, Jäger?«, witzelte ein alter Mann im Vorbeigehen.

»Selber Hirsch!«, konterte ich.

Mir gefiel die Tracht eigentlich ganz gut. Doch aus unserem Team schien keiner von meinem München in Berlin beeindruckt zu sein. Der Kameramann Lars war gerade aus Kabul zurückgekehrt, wo er deutsche Soldaten bei der Erfüllung ihrer internationalen Pflicht gedreht hatte. Die Mode in Kabul wäre so ähnlich wie die in der Müllerstraße, erzählte er. Lars war dort zu einem Schneider gegangen, um sich einen typisch afghanischen Anzug anfertigen zu lassen. Der Schneider fand es furchtbar, wie altmodisch die Europäer sich kleideten.

»Diese engen Hosen und viel zu engen Hemden

haben wir hier schon seit zwanzig Jahren nicht mehr«, meinte er.

Den Stoff für seinen Anzug sollte unser Kollege sich selbst auf dem Markt besorgen. Er bat deswegen den Dolmetscher, ihm einen entsprechenden Satz aufzuschreiben. Der Dolmetscher schrieb ihm sofort zwei Seiten voll.

»Was soll das alles heißen?«, fragte ihn der Kameramann.

»Ihr Europäer redet miteinander meist nur in kurzen Sätzen. Das hört sich wie Schimpfen an und ist total unhöflich«, erklärte ihm der Dolmetscher. Er habe eigentlich nur die notwendigsten Begrüßungsformeln aufgeschrieben, etwa so:

»Sehr geehrter Herr Stoffverkäufer, mögen Ihre Eltern und Großeltern alt und reich werden, Ihre Frauen fleißig und fruchtbar bleiben und Ihre Kinder gehorsam und gesund sein; und möge Ihre Familie in das ewige Buch des Lebens mit der goldenen Schrift der allgemeinen Achtung eingetragen werden. Ich schätze mich über die Maßen glücklich, Ihnen begegnet zu sein, und außerdem hätte ich gern ein wenig Stoff für einen Anzug.«

Selbst das wäre viel zu kurz und zu unhöflich, aber was könne man von ungebildeten Ausländern erwarten, seufzte der Dolmetscher.

Der Schneider brauchte drei Tage für den Anzug und nahm dafür drei Dollar. Ein Tag – ein Dollar, so zählte er seine Tage. Nicht anders verhielten sich auch die deutschen Soldaten. Sie bekamen in Kabul eine Gefahrenzulage von 100,- Euro pro Tag, einige andere noch mehr, und fast alle hatten auf ihren Laptops ein spezielles Programm – eine Art Gelduhr – installiert, die ihnen graphisch darstellte, wie in jeder afghanischen Minute ein paar Cents auf ihr Konto tropften, wodurch der Traum-Golf oder gar ein Häuschen mit Garten immer näher rückte.

Die Afghanen genossen derweil die neue Freiheit und kauften stapelweise Pornopostkarten auf dem Markt. Auf diesen Karten waren die Frauen zwar vollständig angezogen, aber ihre Gesichter waren splitternackt. Außerdem lagerten die Frauen in lasziven Posen und lächelten so geheimnisvoll, als ob sie keine Unterwäsche anhätten. Die verspiegelten Brillen, die dort fast alle amerikanischen Soldaten trugen, sorgten ständig für wilde Spekulationen in der Stadt. Man munkelte, dass die Amerikaner mit Hilfe dieser Gläser Frauen durch die Burkas kucken können. Im afghanischen Fernsehen wurde diesem Thema eine Extra-Sendung gewidmet. Ein alter weißer Mann, dessen Gesicht schwer von Krieg und Frieden gezeichnet war, klärte das Volk über das Thema »Ami-Brille« auf:

»Wir dürfen die Amerikaner nicht unterschätzen«, sagte er. »Sie fliegen zum Mond! Und natürlich können sie auch durch die Burkas kucken.«

Danach griffen einige Afghanen, die die Sendung gesehen hatten, Amerikaner auf der Straße an, die die Sendung natürlich nicht gesehen hatten, und prompt wurde diesen Soldaten von der Armeeführung daraufhin das Tragen verspiegelter Sonnengläser verboten. Aber im Großen und Ganzen wäre die Bevölkerung dort sehr friedlich gestimmt und das Leben würde brummen, erzählte uns der Kameramann. Wir waren mit dem Dreh fertig und verließen den Laden in der Müllerstraße. Die freundliche Besitzerin des Ladens gab uns noch weitere Weißbiere mit auf den Weg.

Schweinekäse
(Potsdam)

Nachdem Berlin zur Hauptstadt des wiedervereinig-
ten Deutschland erklärt worden war, bekam auch
Potsdam eine neue Qualität als Berlins nobelster Konferenzraum. Der Staat nutzte das schöne Städtchen
gern als Veranstaltungsort für allerlei politische oder
kulturelle Events. Aber aus nicht nachvollziehbaren
Gründen lief bei diesen Potsdamer Veranstaltungen
immer etwas schief. Ich versuche mich eigentlich von
Podiumsdiskussionen und runden Tischen fern zu
halten, weil solche Veranstaltungen so sinnlos sind.
Eine Ausnahme mache ich nur, wenn die Einladung
aus Potsdam kommt. Dort, das weiß ich aus Erfahrung, kann man durchaus etwas fürs Leben lernen.

Neulich zum Beispiel fand in Potsdam ein deutsch-
russisches Kulturforum statt. Über hundert Teilnehmer versammelten sich im Konferenzsaal eines Potsdamer Hotels: Wissenschaftler, Künstler, Journalisten
und Politiker aus beiden Ländern. Ein Ministerpräsi-

dent sprach das Grußwort: Er freute sich, alle Anwe-
senden hier zu haben, und lobte den Kulturaustausch.
Die Teilnehmer machten es sich bequem und füllten
ihre Gläser mit Mineralwasser und Apfelsaft. Bis zur
Mittagspause waren es noch gut drei Stunden, im
Programm war ein Streitgespräch vorgesehen zum
Thema »Die Zeiten verändern sich – ach wirklich?«.
Zwei Professoren sollten sich darüber streiten: ein
deutscher Ästhetiker aus Wuppertal und ein russi-
scher Philosoph aus Wien.

»Wir Deutschen«, meinte der Ästhetiker, »haben
einen großen Wohlstand erreicht, in kürzester Zeit
haben wir das Land aus Ruinen wiederaufgebaut.
Aber wir kennen keinen Spaß, wir sind nicht richtig
witzig. Die Russen dagegen wissen mit ihren Ruinen
nichts anzufangen, haben dafür aber eine sehr weit
entwickelte Witzigkeit. Sie singen und tanzen gerne.
Also könnten die Deutschen und die Russen sich
wechselseitig bereichern. Wir beschaffen das Geld,
und die Russen sorgen für die Unterhaltung.«

Der Beitrag des Ästhetikers missfiel den Russen.

»Das haben wir doch alles schon mal gehört«, meinte einer aus dem Publikum. Der russische Philosoph
verteidigte dann jedoch seinen Kollegen.

»Zum Beruf des Philosophen gehört es«, meinte er,
»immer wieder ein und dieselbe Geschichte zu erzäh-

len. Heute hier, morgen dort. Natürlich hat man das alles schon irgendwo gehört. Aber Sie können doch nicht im Ernst verlangen, dass ein Philosoph Ihnen jeden Monat eine neue Theorie über Gott und die Welt offeriert.«

Ein russischer Dichter meldete sich zu Wort. Er sei zwar immer bereit, den ausländischen Kollegen ein Stück von seiner Witzigkeit zu borgen, meinte er, aber von seinem eigenen Volk wünsche er doch, es würde sich ab und zu auch einmal mit ernsthafteren Tätigkeiten befassen. »Allein mit Singen und Tanzen kommen wir nicht weiter«, behauptete der Dichter.

Daraufhin regte sich der deutsche Ästhetiker auf: »Sie wollen Russland wohl partout europäisieren, seine Besonderheit zerstören – aber ein solches Russland braucht hier doch kein Mensch, wir haben ja schon Tschechien, Polen und Serbien. Nein, nein, dann können Sie gleich den Laden dichtmachen«, meinte er.

»Lasst uns lieber über Mode reden, da habe ich extra etwas vorbereitet«, erwiderte der russische Philosoph. »Ich lese regelmäßig *Brigitte* und möchte diese Zeitschrift auch Ihnen wärmstens empfehlen. Man kann im Laufe der Zeit sehr viele erstaunliche Erkenntnisse aus Frauenzeitschriften gewinnen, wenn man sie nur richtig liest…«

»Aber wie meinen Sie, soll der zukünftige kulturelle Austausch zwischen unseren beiden Ländern aussehen?«, unterbrach ihn der Ästhetiker.

»Ich weiß nicht, ich muss überlegen«, sagte der Philosoph. »Ich werde Ihre Frage gleich nach der Pause beantworten.«

Von allen unbemerkt waren drei Stunden vergangen. In der Pause erkundigte ich mich bei meinem Nachbarn, einem deutschen Politologen, der hinter mir gesessen hatte, was an unserem Platz die ganze Zeit so merkwürdig gerochen hatte. »Das kam aus meiner Tasche«, klärte er mich auf. Er habe gestern in einem Bioladen aus Neugier ein Stück Schweinekäse gekauft und ihn in seiner Tasche vergessen.

Ein Russe, der zufällig neben uns stand, lachte.

»Was erzählen Sie da für einen Unsinn, Schweinekäse gibt es doch gar nicht«, meinte er. »Man hat Ihnen im Bioladen wahrscheinlich einfach ein Stück Stinkekäse angedreht, und das bestimmt noch zu einem überhöhten Preis.«

Der Politologe war beleidigt. »Woher wollen Sie wissen, dass es keinen Schweinekäse gibt?«

»Ich weiß es«, versicherte ihm der andere, »weil ich Biologie studiert habe. Schweine kann man nicht melken, und von daher kann es auch keinen Schweinekäse geben.«

Der Politologe wurde kiebig: »Vielleicht kann man bei Ihnen in Russland keine Schweine melken, weil Ihre Landwirtschaft technisch nicht so entwickelt ist und keine fortschrittlichen neuen Verfahren kennt, aber bei uns in Deutschland oder auch in der Schweiz kann man schon lange so ziemlich alles melken, was Zitzen hat. Der Schweizer Schweinekäse ist inzwischen sogar eine kulinarische Kostbarkeit. Er ist jedoch selten und wird nicht überall angeboten.«

»Sie wollen mich auf den Arm nehmen«, beklagte sich der Biologe. »Die Säue geben nur dann Milch, wenn sie von ihren Ferkeln heftig dazu aufgefordert werden. Man muss schon sehr lange grunzen und die Sau kitzeln, um an ihre Milch heranzukommen.«

»Die Kühe werden doch auch nicht mehr per Hand gemolken«, entgegnete der Politologe. »So wurden wahrscheinlich auch für Schweine entsprechende Melkmaschinen entworfen. Natürlich ist die Produktion von Schweinemilch sehr teuer, dafür schmeckt sie aber ganz hervorragend.«

»Ich glaube Ihnen kein Wort«, sagte der Russe. »Es gibt keine grunzenden Maschinen, so wie es auch keinen Schweinekäse gibt. Sie machen doch nur Spaß.«

»Nein«, bestand der Politologe, »das ist mein voller Ernst. Im Bioladen wird der Schweinekäse im Übrigen von handgemolkenen Säuen angeboten. Da grunzt der

171

Bauer quasi noch selbst. Sie können gern ein Stück von meinem Käse probieren, wenn Sie wollen. Er ist sehr einzigartig im Geschmack. Vielleicht wird Sie das überzeugen«, schlug er uns vor.

»Gern«, sagte der Russe.

Der Deutsche machte seine Tasche auf und holte den umstrittenen Käse heraus.

Zu dritt aßen wir ihn auf, er schmeckte tatsächlich nicht übel.

»Na gut«, sagte der Biologe, »unter Umständen kann ich mir nun vorstellen, dass die Schweizer so etwas Ausgefallenes produzieren, sie denken sich immer wieder neuen Blödsinn aus. Aber dass der Bauer dabei selbst grunzt, das kaufe ich Ihnen nicht ab, das ist nun wirklich nicht ernst zu nehmen.«

Die Pause war inzwischen vorbei, die Teilnehmer strömten zurück in den Konferenzsaal.

»Es geht weiter«, grunzte der Politologe, »wollen wir uns ihnen anschließen?«

»Ja, gehen wir«, grunzte der Biologe zurück.

Der deutsch-russische Kulturaustausch wurde fortgesetzt.

Messe
(Frankfurt)

Nach Frankfurt fahre ich jedes Jahr im Herbst – zur Buchmesse. Und jedes Mal läuft das Programm nach dem gleichen Muster ab: Tagsüber sitzen alle in den Hallen herum und imitieren Geschäftstüchtigkeit, abends gehen sie in den *Frankfurter Hof*, trinken und warten. Die Literaturagenten warten, bis die deutschen und ausländischen Verleger genug intus haben, um ein paar Bücher unbekannter deutscher Autoren einzukaufen. Die Verleger warten darauf, dass die Agenten sich betrinken. Sie versprechen sich dann bessere Konditionen beim Kauf der vermeintlichen Bestseller des kommenden Jahres. Diese Strategie geht aber selten auf. Bis Mitternacht bleiben alle fit, dann stürzen sie gleichzeitig dermaßen ab, dass man schon nichts mehr kaufen, geschweige denn verkaufen kann. Die wenigen Autoren, die dabei sind, betrinken sich aus Solidarität und um nicht aufzufallen. Deswegen sind für mich die Frankfurter Bücherherbste zu einer sich ständig wiederholenden Trinkschleife geworden.

Nur an die erste Messe kann ich mich noch gut erinnern, sie hatte mich damals – einen naiven Anfänger – ordentlich überrascht. Der Laden war rappelvoll. In den Gängen wimmelte es von Menschen, alt und jung, Männer und Frauen, Studenten mit schlappen Rucksäcken und vornehme Damen in schönen Abendkleidern. Das Ganze nannte sich »Frankfurter Buchmesse mit dem Schwerpunkt polnische Literatur«, und ich als junger Autor eines einzigen Buches stand mittendrin.

Das Ausmaß des Geschehens hat mich beeindruckt: zu viele Leute, zu schlechte Luft und eine beinahe hysterische Stimmung. So stellte ich mir einen Bahnhof in Zeiten des Krieges oder bei einer bevorstehenden Evakuierung vor. Aus allen Lautsprechern schallten wichtige Informationen, die man jedoch unter keinen Umständen verstehen konnte. Wahrscheinlich werden hier alle Ansagen auf Polnisch gemacht, dachte ich, wegen des Schwerpunkts. Von meinem Agenten wusste ich, dass die meisten Leute hier nicht gewöhnliche deutsche Leser waren. Hier wurden Geschäfte gemacht, hier wurde viel Geld verdient und ausgegeben.

Nach einigen Stunden in den Hallen konnte ich

mich einigermaßen orientieren. Ganz oben unter einer Glaskuppel saßen die Literaturagenten. Sie wickelten dort ihre Termine mit wichtigen Leuten ab. Vor der Glaskuppel standen aufgeregte Menschen mit Aktentaschen: noch unentdeckte Autoren. Sie warteten auf Agenten, um sie mit einem Manuskript zu überraschen. Aber die Agenten waren nicht dumm und gingen den unentdeckten Autoren aus dem Weg. Dazu ließen sie sich noch von Sicherheitskräften bewachen und verließen ihre Glaskuppel nur in äußerster Not. Ganz unten im Erdgeschoss liefen die Verlagsangestellten aus aller Welt herum, ebenso die bereits entdeckten Autoren mit ihren Familienangehörigen, Journalisten, Touristen und Messefans. Sie alle suchten irgendetwas.

»Ich suche Günter Grass«, sprach mich ein Verrückter an. »Wissen Sie nicht zufällig, wo er dieses Jahr steckt? Es ist sehr wichtig, es geht um die Verletzung meiner Menschenrechte. Keiner will mir helfen, Günter Grass ist meine letzte Chance.«

Ich wusste nichts von Günter Grass und war selbst auf der Suche – nach Jelzin. Irgendwo sollten einige russische Verlage ihre Neuerscheinungen präsentieren, unter anderem Jelzins Erinnerungsbuch »Mein Leben als Präsident«. Vielleicht saß der Autor selbst da, konnte sich vor Langweile nicht retten, und wir könnten zusammen einen trinken gehen. Die Russen waren aber schwer zu finden, erst nach zwei Stunden entdeckte ich sie: Auf vier kleinen Tischen lagen Postkartensammlungen mit schönen Kirchen, einige nicht übersetzte Lebenswerke alter russischer Philosophen und bunte Kalender mit Blondinen der neuen Generation. Jelzin war nirgendwo zu sehen, nur zwei Vertreter seines Verlags. Sie naschten an einem Trockenfisch.

Ich verließ die Messe allein und ging zum Hotel *Frankfurter Hof.* Dort war ich mit meinem Agenten verabredet. Wir setzten uns in die Lounge und bestellten Mineralwasser. Langsam baute sich an unserem Tisch eine kleine Gesellschaft auf: der Verleger eines Konkurrenzverlags, der sich auch ein Mineralwasser bestellte, eine alte Übersetzerin, die Kamillentee trinken wollte, dann eine dicke Russin aus New York zusammen mit ihrer Tochter, die als russische Literaturagenten unterwegs waren und an einem Orangensaft nippten.

Der Verleger erzählte mir immer wieder, wie wichtig es für einen Autor in Deutschland sei, einen zweiten Verlag hinter sich zu haben – für alle Fälle. Die alte Übersetzerin wollte von mir wissen, ob ich nicht ein paar junge begabte Autoren aus Russland kennen würde. Jelzin war für sie nicht jung genug. Die Mutter und die Tochter meinten, ich solle ihnen sofort 5 000,- Dollar geben, damit sie mein Buch in Russland veröffentlichen. Die beiden Frauen waren vor zwanzig Jahren von Russland nach Amerika emigriert und hatten vor kurzem ein tolles Geschäft entdeckt: Sie fuhren in der Welt herum und versprachen ihren versprengten Landsleuten, ihre wertvollen Lebenserfahrungen in Russland zu veröffentlichen. An Autoren mangelte es nicht: Russen schreiben gern, besonders wenn sie nicht mehr jung sind und im Ausland leben. Von mir bekamen sie aber keinen Cent, und bald darauf verschwanden sie. Mein Agent war schon früher gegangen. Auch der Verleger verabschiedete sich, er eilte zu irgendeinem Empfang. Die alte Übersetzerin ging aufs Klo und kam nicht zurück. Plötzlich saß ich allein am Tisch.

»Möchten Sie zahlen?« Der Kellner hatte meinen Blick falsch interpretiert.

Ich nickte trotzdem.

»Dreimal Mineralwasser, zweimal Orangensaft, ein Kamillentee, macht zusammen 78,– Euro. Und bitte passend, ich habe nur Hunderter bei mir«, meinte er freundlich.

»Ich doch auch«, sagte ich, leerte mein Portmonee und ging.

Mit dem Fahrstuhl unterwegs
(Marburg)

Die Stadt Marburg – Höhepunkt des Landkreises Marburg-Biedenkopf – wird in der regionalen Presse gerne als »das Herz Mittelhessens« bezeichnet. Die Stadt liegt an einem Berg und ist am besten per Fahrstuhl zu erkunden. Nicht umsonst haben in Marburg viele große Erfinder gelebt und gearbeitet, überall stößt man auf wissenschaftliche Erfindungen. Die in den Berg eingebauten Fahrstühle sind der beste Beweis dafür. Statt jedes Mal den Berg hoch- und runterzuklettern, wird der Reisende von seinem Hotel zur Kneipe und zurück mit dem Fahrstuhl gebracht.

Wenn man in Marburg einkaufen oder essen gehen will, muss man viel Geduld mitbringen, denn wie in jeder Universitätsstadt stehen hinter allen Theken und Geschäftstresen Studenten. Sie sind nach Marburg gekommen, um dort an der Universität wichtige wissenschaftliche Erkenntnisse zu ergattern. Ihre Studentenjobs betrachten sie daher als lästige, aber notwendige Nebenbeschäftigung. Deswegen muss man in einer Marburger Kneipe stundenlang auf sein Bier warten und kann in seinem Schweinebraten Dinge finden, die dort nicht hineingehören. Aber die vielen Studenten und vor allem Studentinnen sind gleichzeitig auch die größte Attraktion dieser Stadt: Sie verleihen ihr ein Antlitz ewiger Jugend. Ohne Studenten wäre »das Herz Mittelhessens« schon längst zum Stehen gekommen. Auch viele meiner Landsleute studieren dort.

»Circa 400 Studenten aus Russland sind hier immatrikuliert«, erzählte mir Timofej aus Novgorod, der in Marburg Philosophie studierte. Ihn und noch zwei Mädchen aus Weißrussland, Sweta und Inga, hatte ich während meiner Lesung im Marburger Rathaus kennen gelernt. Anschließend gingen wir durch Marburg spazieren, wobei wir meist mit dem Fahrstuhl auf und ab fuhren. Irgendwann landeten wir in einer Kneipe namens *News*, die Timofej als »typisch studentisch« bezeichnete. Die Bedienung dort schien zwar nett zu sein, doch die Kommunikation zwischen uns klappte nicht so richtig. Egal, was wir bestellten, wir bekamen nichts.

»Ich muss ständig neues Personal anlernen, die Mädels kommen mit der Kasse noch nicht ganz zurecht«, erklärte uns der Wirt. »Wenn Sie das stört, kommen

Sie lieber später wieder, nach dem Schichtwechsel«, meinte er.

Die anderen Gäste in der Kneipe regten sich wegen des mangelhaften Service nicht so auf. Entweder hatten sie ihre Getränke selbst mitgebracht, oder sie waren an die in Marburg herrschenden Verhältnisse längst gewöhnt. Gleich links neben uns feierten zwölf junge Studenten einen Geburtstag. Sie brüllten unentwegt »Happy Birthday to you« und versuchten, das dicke Geburtstagskind über den Tresen zu werfen. Rechts von uns saßen vier Bauarbeiter in karierten Holzfäller-Hemden. Sie tranken Bier mit Schnaps und erzählten sich Bauarbeiterwitze.

»Das Schöne an der Marburger Uni sind ihre demokratischen Sitten. Die Professoren und Studenten sitzen abends in einer Kneipe Tisch an Tisch und schotten sich nicht voneinander ab«, erklärte mir Timofej.

»Ich sehe aber hier weit und breit keine Professoren«, erwiderte ich.

»Doch, doch«, meinte er und wies mit den Augenbrauen in Richtung Bauarbeiter. »Da sitzen gerade meine Professoren, alles große Philosophen. Der große Blonde zum Beispiel, der mit dem dicken Ohrring, ist ein bekannter Hegel-Spezialist.«

Die Professoren aßen Bratwürste und besprachen nun die neuesten Fußballergebnisse. Ich staunte über die Marburger Sitten. Nach einer halben Stunde Wartezeit bekamen auch wir endlich ein Bier, das wir nicht bestellt hatten. Eine große braune Schabe überquerte unseren Tisch.

»Die Schaben haben die russischen Studenten nach Marburg gebracht«, erzählten mir meine Begleiter.

Schaben, Krätze und Mäuse! Bei einem solchen Russentreffen sollte auch die Schabe nicht verhungern. Wir organisierten für sie schnell eine Bierpfütze auf dem Tisch und setzten sie davor. Hinter dem Tresen fand ein Schichtwechsel statt, erfahrene Studenten übernahmen die Initiative und den Bierhahn. Alle Gäste des *News* fingen an, sich zügig zu betrinken: Das Geburtstagskind mit Freunden, die Professoren, die Bierschabe und wir.

Kurz vor Mitternacht traf ich auf dem Klo den bekannten Hegel-Spezialisten, den Lehrer von Timofej. Er rülpste freundlich ins Klo. Ich nutzte die Gelegenheit und versuchte, ihn in ein Gespräch zu verwickeln. »Ich selbst war nie an einer Uni«, sagte ich, »aber einen Professor hätte ich mir anders vorgestellt: mit Brille, Aktenkoffer, Krawatte und so. In seiner Freizeit sollte so ein Professor Bücher lesen und Kaffe trinken. Und nicht auf dem Klo rülpsen.«

Der Hegel-Spezialist sah mich gar nicht richtig an, er war mit seinen Gedanken ganz woanders. Dennoch konnte ich ihm anscheinend einiges von meinem Professorenbild vermitteln. Er bekam jedenfalls ein schlechtes Gewissen und übergab sich. Wegen der in Westdeutschland noch gültigen Polizeistunde gingen kurz nach Mitternacht alle Gäste nach Hause. Nur die besoffene russische Schabe blieb im Bier auf dem Tisch liegen.

»Ihr seid eine Bereicherung für diese Stadt«, meinte ich zu meinen Landsleuten. Danach verabschiedeten wir uns.

Auf dem Weg zum Hotel sah ich eine Maus. Sie hatte sich wahrscheinlich verlaufen und wusste nicht wohin. Alle Kneipen in Marburg waren schon zu. Die arme Maus saß einfach auf der Straße und fror. Voller guter Vorsätze überlegte ich, sie mit ins Hotel zu nehmen. Die blöde mittelhessische Maus bekam aber einen Schreck, als sie meine Hand vor ihrer Nase sah. Sie witterte sofort den Fremden, kroch in einen Gully und kam nicht mehr raus.

Krokodil-Steaks
(Sömmerda)

Thüringen stand auf dem Programm: Sömmerda, Jena, Zeitz... Na ja, dachte ich, Thüringen ist doch gleich um die Ecke, ich fahre mal schnell hin und gleich wieder zurück. Aber schon am Bahnhof wurde es abenteuerlich: Die Angestellte der Deutschen Bahn AG wollte mir kein Ticket nach Sömmerda verkaufen.

»Nein«, sagte sie, »laut den mir vorliegenden Informationen gibt es keine deutsche Stadt namens Sömmerda.«

Ich ließ mich jedoch nicht irritieren und kaufte einfach eine Fahrkarte nach Erfurt. Dort am Bahnhof war Sömmerda für niemanden ein Geheimnis. Mit einem Regionalexpress erreichte ich das Städtchen in zehn Minuten. Das kulturelle Leben in Sömmerda wird wesentlich von der dortigen Kreissparkasse getragen. Der Eintritt für die Lesung war teuer: 10,- Euro. Für ein Glas Wodka mit einer Gurke musste man extra zahlen. Trotzdem kamen etwa 80 Sömmerdaner und Sömmerdanerinnen in den Kulturklub, der hier *Sparkassentreff 1a* hieß. Nach der Lesung gingen wir mit dem Sparkassenchef in die *Schwarze Katze*, um Krokodile zu essen.

Auch am nächsten Tag in Zeitz wollte man mich mit Krokodilsteaks verwöhnen. Überall verdrängen sie die traditionellen Thüringer Bratwürste von den Speisekarten. Im *Thüringer Hof* wurden die Krokodile sogar mit »gebutterter Ananas« serviert. Meine Frage, wo die thüringischen Krokodile gezüchtet werden und was man mit Ananas machen muss, damit sie gebuttert wirkt, wurde vom Personal der Gaststätte nur ausweichend beantwortet. Die Vorliebe der Thüringer für exotische Gerichte war eindeutig eine Folge der Angst vor BSE, doch ich hatte eigentlich mehr Angst vor Krokodilen.

Nachts konnte ich im *Thüringer Hof* nicht einschlafen. Ständig hörte ich merkwürdige Geräusche aus dem Korridor: Jemand kratzte an meiner Tür, ich hörte Zähneknirschen und tiefes Stöhnen. Vielleicht füttern die Thüringer Köche ihre Krokodile, indem sie die Tiere nachts einfach im Hotel laufen lassen? Auf diese Weise können sie sich in freier Natur richtig ernähren und werden zu Bio-Krokodilen. Ich hatte das Gefühl, einem schrecklichen Wirtschaftsgeheimnis auf die Schliche gekommen zu sein. Aber aufzustehen und die Tür zu öffnen, dafür war ich doch zu feige. Gegen vier Uhr früh haben die Krokodile ihren Aufenthaltsort gewechselt. Man hörte sie nicht mehr aus dem Korridor, sondern aus dem Nebenzimmer. Sie stöhnten immer weiter, lachten ein ums andere Mal, und wenn ich mich nicht verhört habe, sagte eins der Krokodile zweimal laut »Scheiße«. Am nächsten Tag lief ich in aller Frühe aus dem Hotel. Die Krokodile im Zimmer nebenan waren eingeschlafen und schnarchten so laut, als wären sie Elefanten.

Bundeskanzleramt
(Berlin)

Die Berliner Projektgesellschaft *Triad* organisierte ein Treffen mit dem Bundeskanzler. Diese Firma gab es seit 1994, sie entwarf unter anderem Kommunikationskonzepte zwischen Kultur, Wirtschaft und Politik, ihre Herangehensweise war, so stand es auf den Internetseiten von *Triad*, transdisziplinär. Diesmal hatten sie die Idee, einige Kulturschaffende, die jünger als Günter Grass und Christa Wolf sein sollten, zu einem Meinungsaustausch unter dem Motto »Enkel treffen Enkel« an den Bundeskanzler zu bringen. Das Bundeskanzleramt war auch interessiert. Die Mitarbeiter von *Triad* wählten ein Dutzend junge Talente aus, darunter eine Filmregisseurin, eine Schriftstellerin, einen Dichter, einen jungen Manager und eine Fernsehjournalistin, und luden sie zu einer Vorbesprechung ein.

Gute drei Stunden saßen wir am runden *Triad*-Tisch und versuchten, uns darüber zu verständigen, was wir dem Kanzler erzählen oder ihn fragen könnten. Im Allgemeinen war die Stoßrichtung klar: Wie war es so, Kanzler zu sein? Wie konnte es passieren, dass er die 68er-Bewegung verschlafen hatte? Hatte der Kanzler trotzdem Visionen? Machte er sich Sorgen, weil die jungen Menschen sich immer weniger für Politik interessierten? Am Ende hatte jeder der Teilnehmer ein paar Fragen für den Kanzler parat. Konkret war es Neugier, die Faszination der Macht, die die meisten antrieb. Außer einer Filmemacherin, die dem Bundeskanzler schon einmal begegnet war, hatte keiner von uns ihn je aus der Nähe gesehen. Das sollte nicht so bleiben. Immerhin war Berlin seit Jahren die Hauptstadt, die Regierung saß quasi um die Ecke. Mitten im Zoo zu leben, ohne einmal den Elefanten gesehen zu haben, war einfach blöd.

Unmittelbar nach dem Vorgespräch bei *Triad* schleppten meine Kinder aus dem Kindergarten eine mächtige Grippe zu Hause an. Ich hustete und schnäuzte, überlegte sogar, das Treffen abzusagen, um den Kanzler nicht anzustecken und dadurch die ohnehin labile politische Lage der Regierung noch weiter zu gefährden. Doch versprochen ist versprochen. Außerdem wollte ich nicht, dass meine Kollegen auf den Gedanken kämen, ich hätte vor dem Bundeskanzler Schiss. Also zog ich an dem Abend schicke

Klamotten an, versteckte mehrere Taschentücher in den Taschen und stieg in ein Taxi.

»Zum Bundeskanzler in das Bundeskanzleramt, bitte«, sagte ich zu dem Fahrer.

Er kuckte mich hochachtungsvoll an und schaute auf die Uhr: »Ein Wunder, dass die dort noch arbeiten.«

»Die Politiker müssen derzeit Überstunden machen«, erklärte ich.

»Nur zu«, meinte der Taxifahrer, »ob es was bringt, ist allerdings noch die Frage. Versprechen tun sie viel, aber am Ende kommt nie was dabei raus.«

Vor dem Amt versammelte sich langsam unsere Runde. Wir gaben unseren Ausweis an der Wache ab und gingen durch die Sicherheitsschleuse. Keiner der Anwesenden hatte Metallgegenstände am Körper, nur bei der Filmemacherin klingelte es leise. In der Lobby wurden wir vom Hausmeister in Empfang genommen, der uns durch die Räume führte und lustige Geschichten über das Haus erzählte.

Wie jedes Regierungsgebäude ähnelt das Bundeskanzleramt in seiner Struktur den ägyptischen Pyramiden: Ganz unten ist die Garage, ganz oben sitzt der Bundeskanzler. Auf den zahlreichen Etagen dazwischen haben wir keine Menschenseele entdeckt. Nur leere Konferenzräume und Büros mit durchsichtigen

Wänden, damit die Beamten während der Arbeit sehen können, wer was macht. Alles war frisch in Weiß gestrichen, an den Wänden hingen große Bilder mit abstrakter Malerei: Punkte und Linien, rollende Köpfe oder einfach große Farbpfützen. Unten in der Lobby stand eine gesichtslose Riesenfrau aus Holz mit großen Brüsten. Ein wenig erinnerte diese Kanzlerlandschaft an ein verlassenes Raumschiff, dessen Mannschaft entweder von Außerirdischen entführt worden oder einfach abgehauen war. Noch mehr erinnerte es jedoch an ein ganz normales deutsches Amt außerhalb der Sprechzeiten. Der Hausmeister meinte jedoch, im Gegensatz dazu sei dieses Gebäude mit geheimen Gängen für besondere Angelegenheiten geradezu gespickt, mit unsichtbaren Räumen, in denen unsichtbare Dienststellen über das Land und die Welt wachen.

In einer Zentrale, die für die Sicherheit der Kommunikation zuständig ist, saß ein gut aussehender Wachmeister; vor ihm an der Wand hing eine Karte von Afghanistan sowie ein paar wichtige Telefonnummern: Taxiruf, Apothekennotdienst, Seelsorge, Feuerwehr... Einmal trafen wir an einer stillen Korridorkreuzung einen jungen Mann. Er lief ohne Schuhe in blauen Socken mit einer Tasse Tee und einem Blatt in der Hand an uns vorbei.

Nach einer Stunde Besichtigungstour wurden wir

in die Spitze der Pyramide gebracht, in einen Raum, der stark an die Dekorationsattrappen des Möbelgeschäfts *Junges Wohnen* erinnerte. Die Bücher in den Regalen waren mit Sorgfalt aneinander gelehnt: Die Memoiren von Egon Krenz und die Märchen der Gebrüder Grimm standen neben Kunst- und Fotobänden. Hinter einer Glaswand befand sich eine große Terrasse. Ganz Berlin konnte man von da aus sehen: die Spitze des Fernsehturmes am Alex, das Mercedes-Zeichen vom Zoo, die Lichter der Charité. Die Stadt war nahe, aber gleichzeitig sehr fern und wirkte fast wie eine Theaterkulisse. Die Stimmen der Wähler, ihre Silhouetten waren nicht zu erkennen.

Mitten im Raum stand ein großer gedeckter Tisch. Alles war zum Abendessen vorbereitet, nur der Kanzler war noch nicht da.

»Er ist ein sehr beschäftigter Mensch und muss ständig wichtige Entscheidungen treffen«, erklärte uns der Hausmeister.

»Wie werden wir denn erfahren, wann unsere Gesprächsrunde zu Ende ist?«, fragte ihn einer der Gäste.

»Das werden Sie schon merken«, versicherte ihm der Hausmeister, »er gibt dann ein Zeichen.«

Wahrscheinlich gab es ein kleines Türchen im Zimmer oder eine geheime Treppe, denn keiner hatte etwas bemerkt, und plötzlich stand der Bundeskanzler mitten im Raum. Wir gaben ihm die Hand und gingen zu Tisch. Es gab Tomatensalat, Gulasch mit gekochten Kartoffeln und zum Nachtisch Vanilleeis.

Der Bundeskanzler erzählte von früher – wie er damals am Zaun des Bundeskanzleramts gerüttelt hatte, und dass die meisten Menschen gar nicht bemerkten, wie viele gute Taten die Regierung vollbrachte, weil sie sich immer nur auf die Fehler stürzten. Er sprach darüber, wie schwer es sei, mit einem Land wie Amerika eine einigermaßen vernünftige Außenpolitik zu entwickeln und dass die deutsche Presse völlig aus den Fugen geraten sei, seine Familie und er würden regelrecht verfolgt. Bei dem Umzug neulich in Hannover seien sie zu Hunderten dagestanden und hätten jedes Kanzlersofa fotografieren wollen, um irgendwelche blöden Witze darüber zu machen.

»Als Bundeskanzler hat man überhaupt kein Privatleben mehr«, schimpfte er.

»Wenn Sie zum Beispiel in einem Flugzeug sitzen und nach Amerika fliegen, kommt Ihnen dann das Ganze nicht manchmal unwirklich vor? Denken Sie nicht manchmal, wo bin ich überhaupt?«, fragte die junge Schriftstellerin.

Der Bundeskanzler überlegte kurz.

»Manchmal wundere ich mich schon, dass ich es so weit gebracht habe, das ist richtig toll«, antwortete er, aß fleißig alles auf, trank den Wein und gab uns ein Zeichen.

»Na, dann wollen wir mal«, sagte er und stand auf. Wir gaben ihm erneut die Hand, und dann löste sich der Kanzler hinter der Wand auf. Vier Stunden hatte unser Abendessen gedauert. Schlau sind wir daraus nicht geworden.

»Ich habe bereits letzte Nacht von diesem Dinner schlecht geträumt«, sagte die Fernsehjournalistin. »Ich habe geträumt, das Bundeskanzleramt wäre von Vampiren bewohnt, die uns bis auf den letzten Tropfen Blut aussaugen.«

»Überall leben doch Menschen«, beruhigte ich sie. Am Ausgang bekamen wir unseren Ausweis zurück und fuhren nach Hause.

Donauwalzer
(Sindelfingen)

Was war bloß mit Sindelfingen los? Schon nach wenigen Minuten in der Stadt fiel mir auf, dass alle Passanten, die an mir vorbeiliefen, untereinander englisch sprachen. Auch in der Lobby des *Hotels Knote*, das eigentlich sehr deutsch aussah – verdunkelt und kuschelig, die Wände mit künstlichen Kränzen, lebensgroßen Puppen und Fotos von Roberto Blanco geschmückt –, sprachen alle Gäste korrektes Englisch. Auch die Reiseprospekte über diese Kleinstadt waren auf Englisch verfasst, und nach ihnen war Sindelfingen nicht ein kleines Maultäschchen in der süddeutschen Landschaft, sondern »a modern town with tradition«. Abends erklärten mir meine Gastgeber, dass Daimler-Chrysler hinter der Anglifizierung Sindelfingens stehe. Das Unternehmen organisiere hier laufend Weiterbildungskurse für seine Mitarbeiter, viele kämen extra aus den USA und aus England, um bei Daimler-Chrysler etwas fürs Leben zu lernen.

»Sie müssen heute nicht alleine auftreten«, meinte der Buchhändler zu mir, »wir haben uns gründlich auf Ihren Besuch vorbereitet und den Akkordeonspieler Petrow eingeladen, einen Landsmann von Ihnen. Er wird zwischendurch das Publikum mit Akkordeonmusik begeistern.«

Wenn sich zwei Russen in Schwaben treffen, fangen sie sofort an, sich über ihr Leben auszutauschen.

»Hallo Petrow!«, begrüßte ich den Akkordeonspieler. »Wohnst du wirklich in Sindelfingen?«

»Ja«, antwortete er.

»Und wie ist es hier so?«, hakte ich nach.

»Du weißt doch«, zuckte der Musiker mit den Schultern, »wir Russen kommen überall über die Runden.«

Die Buchhandlung war rappelvoll, auch die gesamte regionale Presse war anwesend: Eine mollige Reporterin vom *Böblinger Boten* blitzte mich von allen Seiten ab, ein langhaariger Mitarbeiter des *Sindelfinger Anzeigers* befragte mich über die deutschen Tugenden und Schwächen. Pünktlich um acht begann die Vorstellung: Ich las, und der Musiker Petrow spielte dazu den »Donauwalzer« und andere sowjetische Lieder. Nach der Lesung brach im Publikum, für mich unerwartet, eine heftige Diskussion aus:

»Sie sind ein Russe, wir sind Deutsche«, meinte einer aus dem Publikum.

»Das kann man so sehen«, antwortete ich.

»Wir haben uns in der Vergangenheit einiges an Aus-einandersetzungen geleistet«, zwinkerte er mir zu. »Wie ist es für Sie nun, als Russe in Deutschland zu leben?«

»Es geht so, und für Sie?«, fragte ich ihn zurück.

»Ich bin unter Hitler aufgewachsen«, erzählte ein alter Mann. »Die Zeit des Nationalsozialismus war die Zeit meiner Jugend. Was kann ich dafür? Ich habe Hit-ler nicht gewählt. Trotzdem wird mir diese Tatsache immer wieder zur Last gelegt. Wie konntest du nur unter Hitler aufwachsen!, sagen viele zu mir. Sie, Herr Kaminer, sind auch in einer Diktatur aufgewachsen, sagen Sie, wie gehen Sie mit dieser Erfahrung um? Das würde mir vielleicht helfen«, meinte er.

»Ich kann Ihnen nicht helfen«, entgegnete ich. »Als mir und anderen aus meiner Generation klar wurde, dass wir in einer Diktatur lebten, war sie schon Schnee von gestern. Früher waren wir von der Außenwelt ab-geschottet und konnten daher unser System kaum mit anderen vergleichen. Wir dachten, eine Staatsmacht hätte einfach so dämlich und verlogen zu sein, wie unsere es war. Außerdem hatten unsere Staatsmänner bei den Wahlen nie einen Gegenkandidaten. Wie war es damals, als Hitler an die Macht kam?«

»Auch so ähnlich«, meinte der alte Mann. »Es gab keinen Gegenkandidaten.«

»Zu jeder Ihrer Geschichten fallen mir fünf eigene ein«, rief ein Russe mit Brille und Bart. »Da beschreiben Sie zum Beispiel in Ihrem Roman, wie einer sich den rechten Zeigefinger abhackt, um nicht zur Armee gehen zu müssen. Fast dasselbe ist meinem Freund passiert. Er hat seine rechte Hand über eine Kloschüssel gehalten, und seine Braut musste von einem Hocker draufspringen, um sie zu brechen. Doch in der letzten Sekunde bekam mein Freund es mit der Angst zu tun und zog seine Hand zurück. Seine Freundin sprang in die Kloschüssel und brach sich ein Bein. Wir haben damals sehr gelacht.«

Der Akkordeonspieler Petrow spielte noch ein Lied.

»Wir wussten gar nicht, dass es so viele lustige Russen in Sindelfingen gibt«, meinte der Buchhändler begeistert.

Erst um Mitternacht gingen die Letzten nach Hause. Es war ein gelungener Abend. Am nächsten Tag verließ ich Baden-Württemberg und fuhr nach Hessen – Ripsche mit Kraut und Fleischwürschte essen.

Winterbock
(Wiesloch)

Besonders oft und gerne werde ich außerhalb der Saison nach Baden-Württemberg eingeladen – in einen der zahlreichen Kurorte. Ich kenne sie inzwischen alle: Bietigheim und Bad Wimpfen, Wiesloch und Nußloch und Haßloch und wie sie alle heißen. Eine Burg, eine Brücke, ein Schweinemuseum, ein Maultaschen-Restaurant. Die Touristen werden hier im Winter sehr vermisst. Nur das Winterbock-Bier und ein umfangreiches Kulturprogramm sorgen dafür, dass die Bevölkerung nicht missmutig wird. Auf den Straßen sieht man selten jemanden. Die meisten Einheimischen sitzen in Kneipen und führen lange Wintergespräche. Die zwanzig Sorten Maultaschen repräsentieren die internationale Küche und die Weltoffenheit des Landes. Es gibt alles: scharfe Maultaschen auf mexikanische Art, Maultaschen a la France, Maultaschen Bella Italia, chinesische Frühlings-Maultaschen und so weiter.

»Sind Sie Computerspezialist?«, fragte mich der Taxifahrer am Wieslocher Bahnhof.

Ja, auch, nickte ich mit dem Kopf. Ich wollte den Fahrer nicht enttäuschen. Nur Computerspezialisten fuhren in Wiesloch im Winter Taxi. In der Stadt befand sich nämlich die SAP-Fabrik, die beste Softwarefabrik Deutschlands, wie die Einheimischen stolz behaupteten. Eine andere Sehenswürdigkeit der Stadt war das Irrenhaus, das mit mehreren Tausend Patienten eines der größten Irrenhäuser des Kontinents war. Dort lebten in einem speziellen Trakt immer noch einige Dutzend deutsche Soldaten aus dem Zweiten Weltkrieg, die noch nicht kapituliert hatten, sowie etliche Zwangsarbeiter aus ehemals besetzten Gebieten, die auch alle irgendwie in der Vergangenheit stehen geblieben waren. Diese Leute starben jetzt aber langsam aus.

Um mir die Zeit zu vertreiben, wollte ich das ländliche Kulturangebot in Anspruch nehmen. Dazu sammelte ich die regionale Presse. Jede Kleinstadt hatte ihre eigene Zeitung. Die *Wieslocher Woche* durfte man nicht mit der *Nußlocher Woche* verwechseln. Obwohl für beide Zeitungen feststand, dass die CDU der Garant sowohl für die Wieslocher als auch für die Nußlocher Zukunft war.

Überall wurde etwas gefeiert: Auf dem Polizeirevier

wurde der älteste freiwillige Polizist Deutschlands in den Ruhestand verabschiedet. Seit 34 Jahren war er dabei gewesen und immer einsatzbereit. Sein Engagement im Kampf gegen Wieslocher Kriminellenbanden wurde von dem Polizeipräsidenten mit der obligatorischen Urkunde belohnt. Bis Redaktionsschluss war ungeklärt, wer sich nun und wie um die zwei Landschildkrötenbabys kümmern würde, die in der Woche zuvor aus dem Wieslocher Terrarium gestohlen worden waren. Das Kulturleben in Wiesloch rauschte mit seiner ganzen Vielfalt an mir vorbei. Den Schlafmützenball in der Festhalle des Psychiatrischen Zentrums hatte ich um einen Tag verpasst. Ein Mitarbeiter des Krankenhauses erzählte mir aber danach, dass das Fest vor allem von jungen SAP-Computerspezialisten besucht wurde.

Die große Seniorensitzung des Hausfrauenbundes und der Karnevalsgesellschaft »Blau-Weiß« war mir zu weit – ich hätte bis Alt-Wiesloch zu Fuß laufen müssen. Und zur Winterfeier des Vereins für deutsche Schäferhunde im Bürgerhaus war ich auch nicht gegangen. Ich hatte Angst vor diesen Hunden. Stattdessen ging ich zu meiner eigenen Lesung, die aber auch gar nicht so übel war. Sie wurde vor allem von älteren SAP-Computerspezialisten besucht.

Würstchen
(Nürnberg)

Nürnberg ist viel zu groß und war innerhalb der wenigen Tage, die ich dort verbrachte, kaum zu erforschen. Deswegen möchte ich hier nur zwei Sehenswürdigkeiten dieser Stadt erwähnen: die schmackhafte fränkische Küche und meinen Freund Kay, der seit etwa zwanzig Jahren in Nürnberg lebt. Er war unser erster Gastgeber in der fränkischen Hauptstadt, der uns vor drei Jahren eingeladen hatte, eine Russendisko in Nürnberg zu veranstalten.

»So etwas hatten wir hier noch nicht! Nur eine radikale chinesische Disko, die *Mao's Rache* hieß«, erzählte er damals.

Seitdem war ich regelmäßig in Nürnberg zu Besuch. Am besten ist diese Stadt, wenn man leicht hungrig dorthin fährt. Schon am Bahnhof riecht es angenehm nach Wurst. Die Bevölkerung läuft nicht wie in Berlin mit Dönerkebab durch die Gegend, die meisten sitzen in kleinen Lokalen und genießen die fränkische

Küche, angeblich die älteste und beste in Deutschland überhaupt. Die fränkische nationale Küche ist deftig, unkompliziert und ziemlich bunt. In ihrem Mittelpunkt steht zweifellos die berühmte Nürnberger Bratwurst. Diese kleinen grauen oder blauen Fleischstäbchen schmecken hier ausgesprochen zart und werden gleich dutzendweise verschluckt. In guten Nürnberger Lokalen werden die Würste in kleinen Pfannen mit Meerrettich und Bier serviert. Doch solche Lokale sieht man in der letzten Zeit immer seltener in der Stadt. Die Nürnberger Politiker kämpfen für ein neues Image: Nürnberg soll eine Stadt des Friedens und der Völkerverständigung, der neuen Technologien und der modernen Kunst werden und keine Stadt der Würste und des Lebkuchens mehr sein. Deswegen wird Nürnberg mit modernen Kunstwerken geradezu überschüttet.

Als ich das letzte Mal in Nürnberg war, verschlug mich das Schicksal ins Neue Museum. Dort durfte ich ganz allein eine große Sammlung von zusammengepresstem Müll anschauen. Große Brocken hingen in gefährlicher Höhe in der Luft. Ein Künstler, der wahrscheinlich in seiner Kindheit psychisch traumatisiert worden war, hatte in dem Museum seine ganz persönlichen Alpträume ausgestellt. Unter den Kunstwerken stand ein einsamer Mitarbeiter des Museums, der aufpassen sollte, dass nichts geklaut wurde. Eine halbe Stunde lang betrachtete ich ihn. Der große schnurrbärtige Mann stand allein mitten in einem großen Saal und meditierte. Nichts an seiner Pose verriet, ob ihm die Kunst gefiel oder nicht. Er war ein Profi.

In der Nähe des Museums bewunderte ich ein zwei Tonnen schweres Kaninchen. Es hatte nur ein Auge, mehrere Köpfe und Pfoten. Bei genauerer Betrachtung sah man aber, dass aus seinem Bauch noch weitere Kaninchen kuckten. Diese Tiere und andere kunstvolle Statuen ungeklärten Ursprungs waren überall in der Stadt aufgestellt, wahrscheinlich um das alte Nürnberg an die EU anzupassen.

Die meisten Kneipen und Restaurants im Zentrum der Stadt sind mit großen anspruchsvollen grünen oder rot-gelben abstrakten Bildern dekoriert. Die Speisekarten versprechen eine Orgie der Exotik: Waldmeister-Süppchen mit Orangenfilet oder eingelegte Krebsschwänze in Rosmarinsauce. Trotzdem riecht es überall immer noch nach Würsten. Zum ersten Mal probierte ich die fränkische Küche mit Kay zusammen, der meinte, er wisse, wo es noch die richtigen Würstchen gebe. Kay kümmerte sich damals um junge Russlanddeutsche. Er organisierte in seinem Nürnberger Stadtteilzentrum »DESI« eine Ausstellung zum Thema »Heimat und Identität« und wollte unbedingt, dass wir dort mit unserer »Russendisko« einen Beitrag zur Integration leisteten. Es kam aber ganz normales deutsches Publikum. Erst um zwei Uhr nachts wurden wir plötzlich von zwölfjährigen Jungs in Sportswear auf Russisch angesprochen. Sie tauchten am DJ-Pult auf und fragten, ob wir vielleicht Hilfe und Schutz bräuchten.

Kay selbst ist kein gebürtiger Nürnberger, seine Heimat war die DDR, genauer gesagt Thüringen. In Jena hatte Kay zum linksradikalen Flügel der Jenaer Friedensbewegung gehört und gegen den Krieg der Sowjetunion in Afghanistan, gegen den Militärputsch von Jaruselski in Polen und gegen die Verbreitung der Atomwaffen in Europa demonstriert. Seine kleine Untergrundorganisation wurde bald von der Stasi zerschlagen, und Kay landete zusammen mit einigen anderen Freunden im berühmtesten Politknast der DDR »Bautzen II«. Die DDR-Regierung handelte seit 1976 mit den inhaftierten Andersdenkenden und verkaufte sie stückchenweise in den Westen. Nach dreizehn Monaten Haft wurde auch Kay für teures Geld an den Westen verscherbelt. Viele Exilanten fuhren nach Westberlin, der damaligen Insel der Freiheit und Anarchie. Kay entschied sich jedoch für Nürnberg, weil ihn die Landschaft dort ein wenig an Thüringen erinnerte und weil er nicht mit anderen Exilkämpfern in einer WG alt werden wollte. In Nürnberg setzte Kay seine politischen Aktivitäten weiter fort, arbeitete beim *Kulturbolschewistischen Monatsmagazin*, organisierte Konzerte, lernte die autonome Szene der Stadt kennen und bekam eine Russenmacke: Er lernte Russisch, sammelte russische Musik und kaufte sogar auf dem Flohmarkt eine große Stalin-Büste aus Bronze.

Außerdem wollte Kay alle Russen Nürnbergs retten. Er studierte Sozialpädagogik mit dem Schwerpunkt »Evaluation von externen Beratungsangeboten für suchtgefährdete Gefangene in bayerischen Justizvollzugsanstalten« und fing dann bei einer Beratungsstelle für Migranten an. In Nürnberg befindet sich eine der wichtigsten Säuberungsbehörden des Landes, das Bundesamt für die Nichtanerkennung von ausländischen Flüchtlingen, und deswegen gibt es dort auch Russen ohne Zahl. Die meisten kennen Kay. Viele sitzen im Knast, sind drogengefährdet und brauchen sonstwie Hilfe. Also konnte Kay seine Russenmacke in Nürnberg voll ausleben. Seine Beratungsstelle war eine der ersten, die eine vernünftige Arbeit auf diesem Gebiet leistete. Deswegen genießt er nicht nur bei uns, sondern auch bei den russlanddeutschen Junkies in Nürnberg großen Respekt.

In der letzten Zeit allerdings interessiert er sich

immer mehr für Nord-Korea. Er ist schon mehrmals dorthin gefahren und kann stundenlang von Land und Leuten erzählen. Sollte der letzte Vorposten des unterentwickelten Sozialismus bald in die Geschichte eingehen, so wird Kay wahrscheinlich als Erster dort den unerfahrenen Nordkoreanern mit einer Drogenberatung helfen. Doch danach sieht es vorerst noch nicht aus. In der Zwischenzeit übt er schon einmal mit Südkoreanern, die es in Bayern seit den Sechzigerjahren gibt. Damals herrschte in Südkorea Arbeitslosigkeit und in Deutschland ein Arbeitskräftemangel, besonders im Bergbau und im Gesundheitswesen. Und viele der koreanischen Krankenschwestern leben noch heute dort.

Kohl und Pinkel
(Harpstedt)

Ausgerechnet zu Valentin wurde unsere gesamte Familie von einer ausländischen Blitz-Grippe heimgesucht. Im Kindergarten erzählte man, das Virus käme aus Hongkong, sei sehr intensiv, aber kurzlebig. Am Vormittag mit Fieber ins Bett fallen und abends schon wieder topgesund vor der Glotze sitzen, so sieht eine moderne Grippe des 21. Jahrhunderts aus, kein Arzt kommt mehr dazwischen. Als Letzten hat es meinen vierjährigen Sohn erwischt. Er lag den ganzen Tag auf dem Sofa und schaute traurig an die Decke – wie Schneewittchen von allen Zwergen verlassen.

»Was kann ich für dich tun, mein Junge, wie kann man dir helfen?«, fragte ich ihn.

»Ach, kauf mir doch eine neue Knarre…« Sebastian wurde plötzlich lebendig. »Ja«, präzisierte er, »eine Vollautomatik, ein Schwert, einen Dolch, einen Bogen und ein paar Handgranaten dazu!«

Meinem Sohn ging es augenscheinlich wieder besser. Seine Vorliebe für Kanonen kann ich allerdings nicht teilen. Sein Waffenarsenal behindert ihn jetzt schon beim Gehen. Ich war in seinem Alter viel friedlicher und hatte kaum Waffen, außer einer kleinen grünen Kalaschnikow mit einem roten Blitzlicht auf dem Lauf, das in der Dunkelheit aufleuchtete. Mit dieser Waffe, die mir mein Vater von einer Dienstreise aus Rostow mitgebracht hatte, hielt ich manchmal vor unserer Wohnungstür Wache. Mein Sohn Sebastian aber hält sich für einen gefährlichen Piraten. Er hat nicht vor abzurüsten, und keine UNO, kein Weltsicherheitsrat wird ihn davon überzeugen. Da müssen schon wir, Eltern, die Initiative ergreifen.

Ich überlegte mir eine dementsprechende Familienresolution und packte gleichzeitig meine Reisetasche. Am selben Tag musste ich nämlich auf Dienstreise – nicht nach Rostow, sondern nach Harpstedt in Nordniedersachsen. Dort, in einer Kneipe namens *Stadtgespräch* sollte ich einige Texte lesen. Harpstedt ist eine Samtgemeinde mit 5000 Seelen und liegt in der Nähe von Bremen.

Das wird bestimmt spannend werden, freute ich mich. Denn Nord-Norddeutschland ist für mich ein wenig erforschtes und deswegen besonders interessantes Gebiet. Die Piraterie der Vergangenheit und die Arbeitslosigkeit der Gegenwart haben dafür gesorgt, dass die Menschen im Norden, anders als im Süden einen ganz besonderen Knall haben. Viele skurrile Feste werden dort gefeiert. Im Winter, gleich nach dem ersten Frost, ist zum Beispiel die Kohl-und-Pinkel-Zeit angesagt. Zahlreiche Kegelvereine und Firmenbelegschaften ziehen mit einem Handwagen durch eiskalte Wälder und Felder, wo sie nicht nach Grünkohl suchen, wie ich ursprünglich dachte, sondern an jeder Ecke mächtig einen über die Kante hauen, also einen Kurzen nach dem anderen kippen, um anschließend in einer Kneipe Grünkohl aus großen Pfannen zu essen – mit Kassler, Rauchende, Bockwurst und Pinkel ohne Ende. Wer am meisten gegessen hat, wird zum Kohlkönig für das kommende Jahr ernannt und bekommt den Königsknochen, den Unterkiefer vom Schwein, den er das ganze Jahr über bis zum nächsten Kohl-und-Pinkel-Fest an der Brust tragen muss.

Zu Pfingsten laufen die Mitglieder verschiedener Schützenvereine mit Holzgewehren in komischen Operetten-Uniformen durch die Städtchen und rauben die Läden aus. Abends essen sie Rollmöpse an der frischen Luft – eine alte Wikinger-Sitte. Sie schießen auf hölzerne Adler, saufen um die Wette, bis sie umfallen, und stehen morgens wieder wie eine Eins da. So macht das ländliche Leben Spaß.

Weil es keinen Zug nach Harpstedt gab, holte mich Friedrich, ein bärtiger Freund des dortigen Buchhändlers, vom Bremer Hauptbahnhof mit dem Auto ab. Wir fuhren über die dunklen Landstraßen, links und rechts sah ich nackte Felder mit einigen Bäumen zwischendurch, einen zugefrorenen Bach, eine Rinderherde...

»Pass auf, jetzt! Hier! Hier fängt Harpstedt an«, sagte Friedrich.

Ich schaute aus dem Fenster, konnte aber keine Veränderungen in der Landschaft feststellen.

»Wo denn?«, fragte ich ganz naiv.

»Das Schild, das Schild links, hinter uns, egal, ist eh schon vorbei, vergiss es«, meinte Friedrich.

Langsam wurden aber doch immer mehr Häuser sichtbar, wir bogen von der Grünen Straße in die Lange Straße ab, kamen an der, wie ich erfuhr, einzigen Ampel des Ortes vorbei und hielten vor der Kneipe.

Der Buchhändler Jens stand schon vor der Tür, er war sehr aufgeregt und gestand mir später, dass dies seine erste Begegnung mit einem Russen sei. Wir tranken ein Bier auf die Völkerverständigung und wurden sofort Freunde. Als Kind hatte Jens immer Angst vor den Russen gehabt. Seine Familie war jedes Wochenende zu Verwandten gefahren, und auf dem Rückweg

mussten sie mit ihrem Ford 17 M, im Volksmund »Ba-
dewanne« genannt, ewig lange vor der verschlossenen
Bahnschranke Bassum-Osterbinde halten. An dieser
Bahnschranke, die auf Plattdeutsch »Isenbohnpohl«
heißt, führte kein Weg vorbei. Vor lauter Langeweile
zählte Jens die Waggons und begutachtete die Ladung
auf den Plattformen. Einmal fuhr ein unendlich langer Güterzug vorbei, der riesengroße Röhren trans-
portierte. Sie waren so groß, dass nur zwei davon auf
eine Ladefläche passten.

»Wozu braucht man solche riesigen Röhren«, wunderte sich Jens.

»Die legen sie unter die Zonengrenze«, erklärte ihm
der Vater, »und da kommen dann die Russen, durch.«

Noch viele Nächte danach konnte Jens nicht ruhig
schlafen, er hatte Alpträume von den Russen, die
durch diese Röhren in den Westen krabbelten. Von
denen war nichts Gutes zu erwarten. Viele alte Leute
im Dorf, die bei Leningrad, Stalingrad oder bei Kursk
mitgemacht hatten, waren ebenfalls der Meinung,
»die Russen, die kannst du vergessen«.

»Und bist du gut angekommen?«, fragte mich Jens.
Wir tranken noch einen auf die Ost-West-Röhren.

Zweihundert Menschen kamen an dem Abend zu
meiner Lesung in den Festsaal der Kneipe im ersten
Stock. Sie waren gut drauf und fingen schon an zu

lachen, als ich nur »Guten Abend« sagte. Danach hörten sie nicht mehr auf. Auch ich kam mir sehr komisch vor. Nach der Lesung ging ich mit Jens und seiner Freundin noch runter in die Kneipe, um weitere Brücken für die Völkerverständigung zu schlagen. Eigentlich war Jens von Beruf Feuerspucker, nur durch Zufall hatte er sich zum Buchhändler entwickelt. Mit neunzehn war er wie alle anständigen Burschen von zu Hause abgehauen und hatte zunächst auf dem Bau gearbeitet. Sein Vorarbeiter war ein Flüchtling aus der DDR, der von einem Schiff in den Westen gesprungen und schnell an der ganzen Küste bekannt geworden war. Sein Foto zierte sogar einmal die Seiten der *Bild*-Zeitung – die Überschrift dazu lautete: »Mit 4,8 Promille erwischt«. Der Vorarbeiter war der Meinung, Jens wäre zu langsam, und jagte ihn oft mit seiner Kelle über die Baustelle. Das ging Jens irgendwann auf den Sack. Er beschloss, den Beruf zu wechseln, und zukünftig im kulturellen Bereich tätig zu sein. Er wurde Feuerspucker. Als solcher tourte er mit einem Wohnwagen durch Norddeutschland, las Gedichte in Fußgängerzonen vor und spuckte erfolgreich Feuer in die Luft.

Dann aber sah er eines Tages auf dem Flohmarkt in Bremen eine rote Plastikkiste. Der Verkäufer wollte zwei Mark dafür haben. Die Kiste war voll mit alten

Edgar-Wallace-Romanen: »Die toten Augen von London«, »Der Hexer«, »Der Frosch mit der Maske« usw. Jens hatte nach zwei Lungenentzündungen keine Lust mehr auf Feuerspucken. »Mein nächster Job soll sauber und intelligent sein, und er soll Spaß machen«, wünschte er sich und beschloss angesichts der Kiste spontan, Buchhändler zu werden. Woche für Woche kaufte Jens nun auf dem Flohmarkt kistenweise Bücher, die ihm interessant erschienen oder von denen er dachte, man könnte sie später teurer wieder verkaufen. Seine Sammlung wuchs rasant, doch ihm fehlte die Erfahrung. Eines Tages nahm er ein paar Bücher, die ihm besonders wertvoll erschienen – »Mann und Weib« in drei Bänden von 1920 –, und fuhr damit nach Bremen zu einem alten Antiquar, um sich nach dem richtigen Preis zu erkundigen.

»Wo haben Sie das gekauft?«, fragte ihn der Antiquar.

»Also, wenn ich ganz ehrlich sein darf, auf dem Flohmarkt für ein paar Pfennige«, antwortete Jens stolz.

»Na, dann hat man Sie nicht betrogen. Genau so viel sind diese drei Bände nämlich auch nur wert«, sagte der Antiquar. »Aber wenn Sie ein richtiger Buchhändler werden wollen, dann kommen Sie mal mit in meinen Keller.«

Der Antiquar rüstete Jens dort mit wirklich wertvoller Literatur aus: Goethe, Schiller und Thomas Mann. Ab da ging das Geschäft bergauf, und Harpstedt wurde zu einer norddeutschen Lesergemeinde.

Am nächsten Tag verabschiedeten wir uns herzlich, ich wünschte Jens viel Erfolg und fuhr mit dem Bus nach Bremen zurück.

Beruhigungsmittel
(Dormagen und Meinerzhagen)

»Ich nahm an, du hast vom Reisen endlich genug, und dachte, wir gehen zusammen ins Kino«, sagte meine Frau enttäuscht. »Dormagen und Meinerzhagen! Das hört sich ja nach inneren Organen an!«

»Nein, nein, das sind wichtige Städte«, meinte ich, »ohne sie wäre mein Buch über Deutschland unvollständig.«

»Na dann viel Spaß in Magen! Dann gehe ich eben allein ins Kino.«

»Mach das Liebling, nur zu«, erwiderte ich.

Mir war es langweilig in Berlin geworden. Ich brauchte kein Kino, sondern Erlebnisse aus dem wahren Leben, Nervenkitzel und Aufregung. Dormagen und Meinerzhagen klangen für mich nach Nervenkitzel und Aufregung. Ich suchte sofort im Internet nach einer günstigen Verbindung: Dormagen war von Köln mit der S-Bahn zu erreichen. Meine Anfrage betreffs Meinerzhagen konterte der Computer mit einer Ge-

genfrage – ich sollte die Endzielangaben konkretisieren:

»Wollen Sie nach Meinerzhagen-Bausparkasse, Meinerzhagen-Apotheke, Meinerzhagen-Stadthalle oder Meinerzhagen-Valbert?«

Wenn der Computer selbst anfängt, Fragen zu stellen, dann ist das ein schlechtes Zeichen. Dieses Überangebot an Endstationen konnte nur eins bedeuten: dass es in Meinerzhagen keinen Bahnhof gibt. Also noch mehr Nervenkitzel und Aufregung.

»Sie brauchen dort keine Literatur, sie brauchen einen Bahnhof! So!«, sagte meine Frau und ging ins Kino.

Ich packte meine Reisetasche. Der Plan war, schnell hinzufahren, beide Städte zu besichtigen, zu beschreiben, womöglich zu vergleichen und dann zurück nach Berlin. Der Taxifahrer, ein freundlicher Pakistani, der mich zum Bahnhof Zoo fuhr, war sehr gesprächig. Er telefonierte die ganze Zeit, wahrscheinlich mit seiner Frau, nur so konnte ich mir die zärtlichen Geräusche erklären, die er in Urdu von sich gab. Zwischendurch versuchte er noch, mit mir ein höfliches Gespräch auf Schuldeutsch zu führen.

»Wohin fahren Sie?«

»Ich fahre nach Dormagen.«

»Nach Dormagen?«

»Ja, nach Dormagen.« Der Pakistani schwieg. Zu Dormagen fiel ihm nichts ein. Dann fand er aber einen Anschluss:

»Fahren Sie geschäftlich nach Dormagen oder privat?«

Geschäftlich oder privat? Geschäftlich oder privat?, überlegte ich. Diese Frage erinnerte mich an mein altes Lehrbuch. Wahrscheinlich hatten wir beide mit dem gleichen Lehrbuch Deutsch gelernt, womöglich sogar in der gleichen Volkshochschule. Ich wusste allerdings nicht mehr, wie es dann in dem Lehrbuch weiterging. Deswegen antwortete ich dem Taxifahrer:

»Ich muss darüber nachdenken. Ich sage Ihnen Bescheid, wenn ich so weit bin.«

Den Rest des Weges bis zum Bahnhof Zoo schwiegen wir höflich. Vier Stunden später saß ich bereits in einem Vorortzug nach Dormagen. Der Waggon war voller Schüler, die sich ungewöhnlich ruhig benahmen. Sie sprangen nicht von ihren Sitzen hoch, hänselten einander nicht und riefen einander nicht per Handy an, sondern starrten einfach diszipliniert vor sich hin. In Dormagen standen sie alle wie auf Befehl auf und verließen den Zug.

Die Stadt befand sich in der Nähe der großen Firma »Bayer«, die nach meiner Kenntnis Aspirin und Beruhigungsmittel produziert. In meiner Heimat werden

die Löhne in vielen Betrieben oft nicht mit Geld, sondern mit den Produkten der jeweiligen Fabrik ausge-
zahlt. Bestimmt ist es auch in Deutschland nicht anders, deswegen fahren zum Beispiel die Opel-Mit-
arbeiter niemals Toyota, sie dürfen es nicht einmal.
Wahrscheinlich arbeiten viele Eltern der Schüler in
diesem Chemiebetrieb und bekommen ihre Löhne
teilweise in Beruhigungsmitteln ausbezahlt, überlegte
ich.

Der Bahnhof von Dormagen war bescheiden aus-
gestattet. Alles war auf das Notwendigste reduziert,
nämlich auf die Geleise, eine Bushaltestelle und einen
Fahrradabstellplatz, auf dem ein paar Jugendliche im
Nieselregen herumhingen und in meiner Heimatsprache fluchten. Ich ging zu der Bushaltestelle. Dort
stand bereits ein Dutzend Dormagener im Alter zwischen fünf und fünfundsiebzig. Wir mussten dreißig
Minuten auf den Stadtbus warten, dabei bekam ich
einiges aus dem Intimleben und von den Zukunfts-
plänen der Dormagener zu hören.

Ich erfuhr, dass der alte Mann mit dem Hut heute
beim Arzt war und morgen schon wieder hinmusste,
dass die beiden Mädchen im gleichen Chor sangen
und ein gewisser Andreas schon zum zweiten Mal die
Probe geschwänzt hätte. Dass das Kleinkind Marie
böse auf die Oma war, weil sie ihm das Eis wegge-

217

schleckt hatte, und dass die Oma heute noch zur Stadtverwaltung gehen wollte, um sich dort über den Stadtbusfahrer zu beschweren, der eine Sau sei und nie den Fahrplan einhalte. Der Alte mit dem Hut wollte mitkommen.

Ich überlegte inzwischen, wie ich Dormagen beschreiben sollte. Die wenigen Häuser waren quadratisch, rustikal, mit braunen Decken, weißen Wänden und einem Fenster in der Mitte. Sie waren großzügig mit großen Abständen in der Gegend verteilt, wie von einem betrunkenen Stadtplaner, der einmal Gott spielen wollte: mal hier ein Häuschen hin, mal da und mal dort, an der Ecke auch gleich zwei. Vor dem Bahnhof stand ein Schild mit der Aufschrift »Einfalt ist Vielfalt«. Die Provinz in der Offensive? Offensichtlich die Stadtwerbung. Der Bus kam, ein höflicher bärtiger Busfahrer machte die Türen auf, und alle sprangen hinein – die Chorsängerinnen, der Mann mit dem Hut, die Oma, die das Eis weggeschleckt hatte –, ohne dem Busfahrer auch nur einen Mucks zu sagen. Alle nahmen höflich ihren Platz ein und begrüßten den Fahrer. Er grüßte zurück: »Guten Tag, Ihre Fahrkarte, bitte schön, danke schön …«

Die Medizin wirkte hervorragend. Auch mein Hotel auf dem Marktplatz war praktisch, quadratisch und rustikal. Man konnte leicht ausrechnen, wie vie-

218

le Zimmer es hatte, nach der Anzahl der Fenster nämlich: vier auf jeder Seite. Den halben Tag betrachtete
ich Dormagen aus meinem quadratischen Hotelzim-
merfenster. Es war eine ideale Überwachungsstelle:
Die Stadt war gut zu überschauen und die Einzelhei-
ten scharf zu sehen: die Bushaltestelle, die Bäckerei,
die Apotheke und die beiden Restaurants, die allerdings ihren Ruhetag und deswegen geschlossen hatten. Nach einigen Stunden hatte ich das Gefühl, die
Hälfte der Bevölkerung persönlich zu kennen. Draußen nieselte es, dieselben Leute sah ich mal mit und
mal ohne Regenschirme die Bäckerei passieren, die
Bushaltestelle und natürlich die Apotheke. Der Kitzel
und die Aufregung ließen auf sich warten.

Ich schloss das Fenster und schaute mich um. Die
Zimmerausstattung bestand aus einem Schrank, einem Bett, einem kleinem Fernsehgerät und einer
Duschkabine, alles eng aneinander gerückt. Man
konnte praktisch vom Bett aus in die Duschkabine
springen, am Schrank vorbei, ohne den Boden zu be-
rühren, um dann aus der Duschkabine Fernsehen zu
kucken. Von unten hörte ich die ganze Zeit seltsame
Geräusche. Wahrscheinlich hatte ein anderer Dienst-
reisender, der ebenso wie ich beruflich und privat
Dormagen besuchte, diese wunderbare Möglichkeit
ebenfalls entdeckt und probierte sie gerade aus. Ge-

nau so, aus purer Langweile heraus, entstehen neue Sportarten, dachte ich. Also sprangen wir um die Wette, ohne einander zu sehen – zwei Unbekannte an einem Frühlingstag in Dormagen. Es wurde langsam dunkel.

Abends bei der Lesung lernte ich den netten Buchhändler kennen, der außer Büchern noch Rotwein in seiner Buchhandlung verkaufte sowie Eintrittskarten für das Rockkonzert »Santana in Oberhausen« – für 114 Euro: »Unglaublich teuer, aber schon über zwanzig Stück sind weg«, freute er sich. Die Buchhandlung war voll, die Zuhörer benahmen sich wie gewohnt ruhig, nur grinsten sie ab und zu.

Am nächsten Tag musste ich weiter nach Meinerzhagen. Der freundliche Herr Schmitz von der gleichnamigen Buchhandlung *Schmitz* in Meinerzhagen erklärte sich bereit, mich von Gummersbach mit dem Auto abzuholen. Mit seinem Saab fuhren wir durch das westfälische Gebirge.

»Erzählen Sie mir doch, wodurch Meinerzhagen bekannt ist«, interviewte ich Herrn Schmitz während der Fahrt, um Zeit zu sparen.

»Meinerzhagen ist durch nichts bekannt, aber die Gummersbacher Handballer waren in den Siebzigern Europameister«, erzählte Herr Schmitz. »Sie haben sogar 1974 gegen den Moskauer Verein ZSKA gespielt und 19 zu 17 gewonnen. Der Trainer der deutschen Nationalmannschaft kommt vom Gummersbacher Verein«.

Ich wollte Herrn Schmitz im Gegenzug über meine Sporterfahrungen beim »Duschkabinen-Springen« in Dormagen berichten, da waren wir aber schon da. Meinerzhagen sah nicht so reduziert aus wie Dormagen. Es hatte Häuser in allerlei Größen, Formen und Farben, eine alte Kirche aus dem 17. Jahrhundert, mehrere Lebensmittelläden, eine Dönerbude und ein französisches Restaurant. Der Regen hörte endlich auf, die Sonne kam heraus. Die *Meinerzhagener Zeitung* präsentierte auf der ersten Seite die beliebtesten Katzen der Stadt. »Das Katzenkind Kitti scheint an einem Gespräch unter Nachbarn interessiert zu sein. Doch Kater Robinski zeigt ihm oft nur die kalte Schulter…« Man merkte sofort, dass es in Meinerzhagen an Ereignissen nicht fehlte.

Im Hotel wollte ich als Erstes meine gerade erfundene Sportart weiter üben. Das Zimmer war aber dafür viel zu groß. Es ging nicht ohne Stock. »Das nächste Mal den Stock mitnehmen«, notierte ich und ging zum Franzosen essen. Er hatte zu, Gemüse einkaufen gefahren. Mein Frau rief an und erzählte mir, sie habe sich einen düsteren Horrorfilm angekuckt, mit ganz schönem Nervenkitzel.

»Und wie ist es bei dir in Magen?«

Was sollte ich sagen? Ich hatte keinen Stock zum Springen, die Straßen waren leer, der Franzose hatte geschlossen. Nur ein großer schwarzer Vogel saß in der Gasse vor dem Hotel und beobachtete mich.

»Es ist ganz schön ruhig hier.«

Der Krieg
(Heidelberg)

Laut der offiziellen Propaganda war es immer noch kalt in Deutschland: plus/minus drei Grad. Doch an manchen Bahnhöfen in Hessen konnte man schon richtig in der Sonne baden.

Alles Leben bereitete sich auf den Frühling vor, der unvermeidlich kam. Aber auch der Irak-Krieg schien unvermeidlich, obwohl die meisten für den Frieden waren. Unser alter Bekannter, der im Auswärtigen Amt arbeitet und gerade eine Woche in Washington verbracht hatte, um dort die Stimmung zu erforschen, schüttelte nur den Kopf, als er zurückkam: Unvermeidlich, der Krieg. Selbst wenn der Papst dorthin führe, zusammen mit dem französischen und dem chinesischen Premierminister. Das galt auch für die Friedensfreunde. Ich allerdings fuhr nach Kassel, Gießen und Frankfurt und dann weiter von Hessen nach Baden-Württemberg. Dabei hörte ich die ganze Zeit ein und dieselbe CD, die ich von zu Hause mitgenommen hatte, die Band *Freitag* aus Charkow: Ihr russischer Reggae verschaffte mir die richtige Stimmung im Regio. Die Musik von *Freitag* hörte ich zum ersten Mal, dabei bemerkte ich, dass es sich dabei um eine sehr kleine Band handelte. Sie bestand aus einem, höchstens zwei Männern, wobei der eine vielleicht Gitarre spielte und der andere kryptische Soldaten-Texte zu Reggae-Rhythmen rappte:

Ich bin Soldat,
eine Ausgeburt des Krieges;
ich bin Soldat,
ich habe den Blick eines bösen Kindes;
man sieht mich oft auf Filmplakaten
zwischen Pinocchio und Mickymaus,
doch Mama und Papa erkennen mich nicht;
ich gebe zu, ich sehe mies aus;

schuld daran sind die Raketen,
die Kugeln und die Handgranaten;
sie sind nicht gut für Soldaten,
aber die Ärzte geben sich Mühe,
damit wird alles wieder wie früher,
doch die roten Binden und die weiße Watte
heilen keinen Soldaten,
oje, je, je, je ...

Die Band *Freitag* übte eine mystische Wirkung auf mich aus.

Ich hörte das Lied über den Soldaten immer und immer wieder. In Kassel, Gießen und besonders in Frankfurt am Main. Auch dort fing langsam der Frühling an, die Hochhäuser im Bankenviertel zwinkerten freundlich mit leuchtenden Werbewänden. Aber auch dort schien der Krieg unvermeidlich zu sein. Mein Vater, der sich nach seiner Pensionierung als Ingenieur plötzlich zu einem großen Philosophen fatalistischer Prägung entwickelt hatte, hatte auch dazu eine eigene Theorie: In jedem Mann stecke ein Soldat, meinte mein Vater, und dieser innere Soldat steuere auf den Krieg zu, egal ob der Mann nun selbst dafür oder dagegen sei. Alles gehöre zusammen, ohne Krieg gäbe es keinen Frieden.

Er selbst hat gelernt, seinen inneren Soldaten zu verstecken, und ist natürlich für den Frieden. Sein Halbbruder, der in Israel lebt, ist für den Krieg. Als langjähriger Israeli erinnert er sich immer noch gerne an den ersten Golfkrieg, als Saddam seine Scud-Raketen auf Israel abschoss. Die Fernsehmoderatoren gaben damals jedes Mal die Warnung aus: »Achtung! Achtung! Raketenangriff, drei Minuten bis zur Landung, bitte ziehen Sie Ihre Gasmasken über und gehen Sie in den Keller.« Viele Israelis schnappten sich jedoch ihre Ferngläser und kletterten schnell auf die Dächer, um das Feuerwerk zu beobachten. Die Fernsehmoderatoren versuchten währenddessen, die Menschen weiter zur Vernunft zu bringen:

»Hört auf damit, auf die Dächer zu klettern«, sagten sie. »Und dann womöglich noch bei uns im Studio anzurufen und zu erzählen, wie toll es draußen geknallt hat!«, fügten sie hinzu.

Nun würden die Israelis im Falle eines Angriffes nicht drei, sondern ganze sechs Minuten zur Vorbereitung haben: das Frühwarnungssystem war verbessert worden.

In Heidelberg traf ich mich mit einigen Kollegen. Der Veranstalter Rainer, vom Karlstorbahnhof, wollte uns zu einem tollen Italiener einladen und hatte sogar schon die Plätze reserviert. Der Italiener war aber am Tag, bevor wir in Heidelberg aufkreuzten, verstorben. Sein Restaurant war wegen der Trauerfeier geschlossen. Also gingen wir zu einem anderen guten Italiener, Heidelberg schien daran keinen Mangel zu haben.

»Mario, hallo, Mario!«, rief Rainer zu dem Chef. »Weißt du, woran Antonio gestorben ist? Ich habe ihn doch vor ein paar Tagen auf der Straße gesehen, er sah ganz gesund aus.«

»Zu viel gearbeitet, wenig Urlaub gemacht, nicht gut für das Herz«, erklärte Mario.

Auch er sah gesund aus. Am Tisch kamen wir gleich auf die Weltpolitik zu sprechen und klärten schnell unsere Positionen: Alle waren für den Frieden, keiner für den Krieg.

»Ich kenne überhaupt niemanden, der für diesen Krieg ist«, meinte Rainer.

»Ich schon«, entgegnete ich. »Zum Beispiel mein alter Freund Andrej, der mich regelmäßig aus San Francisco anruft. Er hat es nicht leicht in Amerika, drei Jobs, zwei Frauen, seit über zehn Jahren auf Drogen.«

»Zuerst war ich auch gegen diesen Krieg«, hatte er noch einige Tage zuvor am Telefon zu mir gesagt. »Aber dann habe ich mir noch einmal die ganze Scheiße durch den Kopf gehen lassen und dachte, warum eigentlich nicht?«

Abends im Hotel erlaubte ich mir aus lauter Vorkriegsstimmung allerlei Schweinereien, die ich mir zu Hause in Berlin wegen der Kinder und der Familie nicht leisten konnte – zum Beispiel im Bett Bier trinken, rauchen und dabei RTL kucken. Es war ein Mordsspaß! Bei RTL fahndete Deutschland nach Superstars, doch sie suchten am falschen Ort. Nur einen Kanal weiter, bei MTV, gab es die Superstars im Überfluss, es hätte für ein Dutzend Deutsche gereicht. Sie drängten zu zehnt, manchmal zu zwanzig auf den Bildschirm, sie verbogen ihre Hände und lächelten sinnlich: »Kuckt uns an!« Man hätte eine kleine Armee aus diesen Superstars aufstellen und mittelgroße Schurkenstaaten damit besetzen können. Aber bei RTL schien keiner davon eine Ahnung zu haben. Weiter beichtete der Torwart der deutschen Fußballnationalmannschaft über seinen Seitensprung. Dies wäre ein kleiner Ausrutscher, jetzt stehe er wieder hundertprozentig hinter seiner Ehefrau und ebenso im Tor.

Um Mitternacht fand ich sogar ein italienisches Programm. Dort lief der gute alte »Terminator II«. In der italienischen Version hatte Schwarzenegger aber eine unglaubwürdig piepsige Stimme, die zu seiner Figur überhaupt nicht passte. Er kam wie ein gestresster Pizzaverkäufer rüber. Jedes Mal wenn er »Ti spacco la faccia, amico caro« sagte, klang es wie eine billige Anmache.

Danach präsentierten die Italiener in einer Talk-Show eine ganz neue Blondine. Der Moderator erzählte irgendetwas über die Frau und zeigte dabei auf ihren unnatürlich großen Busen. Auch die Blondine schaute mit großem Interesse auf ihr Oberteil – so als hätte sie ihren Busen davor noch nie gesehen. Der Moderator fragte sie irgendetwas, die Blondine riss ihre Augen ganz weit auf und dachte über die richtige Antwort nach. Das Fernsehen schien auf Dauer doch langweilig, der Krieg unvermeidlich zu sein. Ich setzte mir die Kopfhörer auf und hörte weiter *Freitag*.

Halber Russe
(Regensburg)

Schon ab Mitte Dezember hatte ganz Deutschland keine Lust mehr zu arbeiten und versank in vorweihnachtlichem Getümmel. Die politischen Debatten in der Glotze erloschen allmählich, Harald Schmidt verteilte in seiner Sendung schweigend Weihnachtsbäume an die Zuschauer und kuckte laufend auf die Uhr. Ich aber war immer noch im Dienst. Statt mit der Familie unter einer Tanne zu sitzen, steckte ich mit einem undurchsichtigen Auftrag in den sieben Bayern fest.

In jedem Bayern sprachen die Menschen eine andere Sprache. In Niederbayern, wo ich überhaupt kein Wort verstand, hatte ich eine Lesung in Dingolfing, einer Stadt mit 18 000 Einwohnern und 23 000 Arbeitsplätzen – eine recht ungewöhnliche Situation für Deutschland. Hier hat man eine große BMW-Produktionsstätte hingeknallt. Wie es die Dingolfinger schafften, ein derartig anstrengendes Arbeitsleben zu bewältigen, wollte ich die Bevölkerung fragen. Leider scheiterte ich immer wieder an dem dortigen Dialekt, der mir vollkommen unzugänglich war. Manchmal schien es mir, als hätte ich doch etwas verstanden, und unterstützte das Gespräch durch heftiges Kopfnicken, lag aber am Ende stets knapp daneben.

Dafür fand ich in einer Dingolfinger Kneipe ein mir vorher unbekanntes Getränk, das »Halbrusse« hieß und aus purem Weißbier mit Limonade bestand. Ich fragte die freundliche Kellnerin, warum der »Halbrusse« hier »Halbrusse« heißt. Die Kellnerin meinte, sie sei gar nicht von hier, sondern aus der Oberpfalz zugezogen, aber sie könne ja mal in der Küche fragen. Dort fand dann eine regelrechte Diskussion statt, warum wohl der »Halbrusse« »Halbrusse« hieß. Keiner wusste Genaues. Nur ein weiser, alter Mann, der die ganze Zeit in einer Ecke gesessen und sich über unser Gespräch sichtlich amüsiert hatte, verriet am Ende die Wahrheit: Der »Halbrusse«, meinte er, sei nichts anderes als die Hälfte von einem »Russen«, und ein »Russe« sei ein Liter – so einfach sei das. Mit dieser neuen Erkenntnis im Gepäck fuhr ich an einer unendlich langen Schlange von Güterwagen vorbei, die alle mit neuen BMWs vollgeladenen waren. Ich fragte mich, ob die Bayern ihre BMWs zum Frühstück verspeisten und mit einem »Halbrussen« nachspülten.

Im oberbayerischen Rosenheim sprachen die Menschen einen anderen Dialekt, der mir zugänglicher war. Der Ort leistete sich eine beeindruckende Weihnachtsdekoration. Von den Wänden der Stadtbücherei hingen weiße Laken, die mit den Flügeln echter Tauben geschmückt waren. Auf meine Frage, was man mit den ganzen Tauben gemacht habe, nachdem man ihnen die Flügeln herausgerissen hatte, bekam ich keine Antwort. Meine Gastgeber von der städtischen Bibliothek und auch das Publikum wirkten dennoch aufgeschlossen, ich kam leicht mit ihnen in ein Gespräch.

»Was wollen Sie eigentlich mit Ihren Geschichten sagen?«, fragte mich eine Dame aus dem Publikum.

Ich stotterte herum.

»Warum beantworten Sie so blöde Fragen eigentlich?«, wollte eine andere Dame wissen.

Ich verstummte gänzlich – und fuhr schon wenig später weiter in Richtung Oberpfalz, nach Regensburg. Die Stadt war dicht in unzählige Lichterketten eingewickelt, sodass sogar die Fußgänger leuchteten. Zu meinen Gastgebern in Regensburg zählte außer der Buchhandlung *Dombrowski* noch eine lustige Bande Regensburger Gastronomen, in deren edlem Hotel *Orphee* ich übernachtete und in dessen gleichnamigem Restaurant ich zu Mittag aß. Die Berufe eines sesshaften Gastronomen und eines herumreisenden Literaten sind ähnlich. Beide haben jeden Tag mit neuen

Menschen zu tun, beide müssen tricksen, beide verbringen ihre Nächte oft in einer Kneipe und haben am nächsten Tag mit einem Kater zu kämpfen. Beide haben auch ein abenteuerliches Verhältnis zu Autos, die nicht anspringen, Frauen, die weglaufen, und Kosten, die sich niemals decken. Wäre ich nicht Schriftsteller geworden, wäre ich bestimmt Kneipenwirt.

In Regensburg musste ich nach der Lesung einen Haufen Bücher signieren, die Zuhörer hatten ausgefallene Wünsche. Außer den üblichen Einträgen »Für die beste Mutti der Welt« oder »Alles Gute zum Geburtstag, Eberhard!« musste ich solche Sätze wie »Es wird Zeit, dass ihr Arschlöcher mal nach Regensburg kommt!« und »Mach auf, Eule, der Bär ist da« auf Russisch in das Buch schreiben. Danach saß ich mit den Gastronomen im *Orphee* und trank eine dreifache Pflaume. Eine nach der anderen. Der Geschäftsführer hatte Geburtstag. Seine Freunde kamen, um ihn zu beglückwünschen und um sich nach einem schweren Arbeitstag zu erholen.

»Ich war neulich bei euch in Berlin«, sagte mir ein glatzköpfiger Gastronom namens Michel, »ich habe mir dort die Weihnachtsdekoration am *Lafayette* angesehen. So eine beschissene Scheiße kann nur in Berlin hängen! Haben denn die Arschlöcher überhaupt keinen Geschmack?«

»Ihr seid doch alle weihnachtsgeschädigt«, konterte ich, »ihr reißt sogar den Tauben die Federn aus und lasst sie nackt durch den Winter fliegen!«

Wir bestellten noch eine dreifache Pflaume. Michel erzählte mir, wie sie sich im letzten Jahr vor Weihnachten mit selbst gemachter Bowle dumm und dämlich verdient hätten. Die Bowle war eine Erfindung von ihm, auf die er stolz war – eine wilde Mischung aus Sangria im Tetrapack und allen Rotweinen, die in der Kneipe nicht gut gingen. Das Ganze wurde erhitzt und in einem Plastikmülleimer zum Weihnachtsmarkt transportiert. Die Regensburger konnten nicht genug davon kriegen und ständig fragten alte Damen nach dem Rezept.

Danach sprachen wir über Autos. Das Geburtstagskind erinnerte sich an seinen Volkswagen Golf, einen Wunderwagen, Jahrgang 1984. »Er läuft und läuft, aber nicht mehr in Regensburg, sondern irgendwo in Osteuropa.« Den Golf hatte er einmal als Übergangswagen gekauft, als er sich zwischen Audi und BMW nicht entscheiden konnte. Danach heiratete er eine Russin und schenkte ihr das Auto. Schließlich landete sein Golf bei Michel, als der einen Pizzaservice in der Stadt aufmachte. Mit dem Golf wurden dann jahrelang Pizzas ausgefahren. Weil Michel aber prinzipiell nur inkompetente Fahrer einstellte, bekam der Wagen jeden Monat eine neue Beule, und der Pizzaservice ging schließlich ein. Der Golf kam zu seinem alten Besitzer zurück. Er sah schlecht aus und stank bestialisch. Seine russische Ehefrau wollte trotz wiederholter Parfumbesprühung nicht einmal für fünf Minuten in den Wagen steigen. Also wurde der Golf einem Autohändler gegeben, der solche Autos nach Osteuropa verscheuerte. Unterwegs zum Händler machte Michel kurz an einer Autowaschanlage Halt. Er fühlte sich dem Wagen gegenüber schuldig und schaute auch noch in einem Duftladen vorbei, um eine lachende Ananas zu kaufen. Der Wagen roch stark nach kalter Kotze, die lachende Ananas auch, beide Gerüche schienen einander jedoch zu neutralisieren. Der Wagen sei sehr robust gewesen, deutsche Handarbeit eben, meinte Michel.

»Bestimmt dreht er immer noch seine Runden irgendwo in Riga. Wenn ich mal dort bin, werde ich ihn bestimmt riechen.«

Die dreifachen Pflaumen machten uns inzwischen zu schaffen. Wir drückten einander ans Herz und gingen schlafen.

Dicke Sterne
(Weimarer Salon)

Seit unsere Anschrift aus Versehen in das Telefonbuch geraten ist, werden wir mit unerwünschten Postsendungen terrorisiert. Produkte, die wir nicht bestellt, Zeitungen, die wir nie abonniert haben, Medikamente, die wir nicht brauchen... Anscheinend macht sich ein unsichtbarer Dritter über uns lustig: Mal bekommen wir eine Kiste mit Tabletten gegen Durchfall, ein andermal Münzen mit uns unbekannten Fußballern darauf, und immer wieder *Bild am Sonntag* und Grußkarten mit nicht nachvollziehbarem Inhalt: »Danke, Herr Kaminer, dass Sie uns Ihre Probleme anvertraut haben. Wir werden Ihnen gerne die neuesten Prothesen aus unserem Katalog persönlich vorführen.«

Im Januar brachte meine Frau mehrmals Bücher von der Post mit: den Lyrikband »Dicke Sterne starren mich an« von dem Dichter Rolf Sondrascheck und den Roman »Böse Jungs« von der Schriftstellerin Karin Müller. Anscheinend hatte der unsichtbare Dritte beschlossen, sich um unsere Allgemeinbildung zu kümmern. Meine Frau rief mich von unterwegs an.

»Der Postterrorist ist wieder da«, schimpfte sie. »Diesmal schickt er uns Bücher. Diese Postsendungen nehmen immer bedrohlichere Ausmaße an, ich kann die Botschaft nicht deutlich erkennen, was kommt als Nächstes? Sparbüchsen? Holzlöffel? Kondome?«

»Mach dir keine Sorgen, Liebling, schmeiß einfach alles zu mir ins Arbeitszimmer, lass dir nicht wegen solcher Kleinigkeiten die Laune verderben«, beruhigte ich meine Frau.

Am gleichen Tag flog ich mit einer kleinen Aeroplan nach Erfurt, das auch als Blumenstadt bekannt ist. Ich sollte dort an einer Literatursendung mit dem Titel »Weimarer Salon« teilnehmen. Eigentlich wollte man die Sendung in Weimar drehen, aber dort klappte es nicht mit dem Licht. Auf den gehaltvollen Namen »Weimarer Salon« wollten die Fernsehleute jedoch nicht verzichten. Um acht Uhr früh stand ich vor dem Schalter der wahrscheinlich kleinsten Fluggesellschaft Deutschlands, die es als einzige wagte, solch unrentable Strecken zu fliegen. Außer mir fanden sich noch drei weitere Passagiere ein, die mit einer Aeroplan nach Erfurt wollten. Zu viert sorgten wir für eine 60% Auslastung der Maschine.

»Wie sicher ist dieses Flugzeug?«, fragte ich beunruhigt eine nette Stewardess in roter Uniform, die uns an die Bordtreppe begleitete. »Warum hat es überhaupt keinen Tank, und wo kommt hier eigentlich das Benzin rein? Ist so eine Maschine schon einmal abgestürzt?«

»Nein, noch nie!« Die Stewardess antwortete mit einem unwiderstehlichen Lächeln: »Und wenn, dann hat es keiner bemerkt.«

Während des Fluges beobachtete ich den Piloten, der direkt vor mir saß. Es war eine gute Gelegenheit herauszufinden, wie man ein Flugzeug steuert. Der Pilot hatte nur einen Joystick und bediente ihn locker mit einer Hand. Manchmal gab er sogar Gas oder bremste die Maschine, doch wie er das genau machte, habe ich nicht kapiert.

In Erfurt angekommen fragte ich den Taxifahrer, ob das Wetter auch gestern so toll gewesen wäre. Er verstand das als Einladung zum Gespräch und erzählte mir in zwanzig Minuten die gesamte Geschichte seiner Stadt sowie die historischen Hintergründe der Entstehung des Freistaates Thüringen.

»Erfurt, auch als Blumenstadt bekannt, ist die größte und älteste Stadt Thüringens«, erzählte er. »Die Bewohner haben sich als verdiente Blumenzüchter schon im Mittelalter einen Namen gemacht und ihre

Samen sogar bis nach Australien verkauft. 1945 kam die amerikanische Armee in die Stadt. Die Soldaten benahmen sich freundlich, sie verteilten Schokolade und Kaugummi an die Bevölkerung. Etwas später haben die Amerikaner aus strategischen Gründen ganz Thüringen gegen West-Berlin eingetauscht. Die sowjetische Armee rückte in die Stadt ein – ohne Kaugummi, ohne Schokolade. Die Bewohner haben damals sehr unter diesem Tausch gelitten. Man kann Thüringen und besonders Erfurt, auch als Blumenstadt bekannt, mit Recht als einen dauerhaften Pechvogel der deutschen Vor- und Nachkriegsgeschichte bezeichnen«, ergänzte der Taxifahrer.

Im Hotel ging ich erst einmal ins Restaurant, um ein alkoholhaltiges Erfrischungsgetränk zu mir zu nehmen. Irgendetwas mit Sprudel, Prosecco oder Sekt…

»Käppchen?«, fragte mich die junge Kellnerin.

Ja, genau, Käppchen, bestätigte ich. Ich wusste es von meinen früheren Besuchen: Rotkäppchen, der Goldsprudel des Ostens, hatte auch Thüringen vollkommen monopolisiert.

Ich konnte die Erfurter Innenstadt aus dem Fenster beobachten: saubere Straßen und bunt gestrichene Häuser, klein und niedlich wie in Disneyland, als wäre Erfurt Hildesheim, das bekanntlich ein Weltkulturerbe ist. Nichts erinnerte hier mehr an die DDR und die sowjetische Armee, außer dem Käppchen vielleicht. Das Restaurant, in dem ich saß, und das dazugehörige Hotel waren fest in westlicher Hand. Im Fernsehen lief ein uralter schwäbischer Jugendfilm, in dem glatt gekämmte Jungs mit fröhlichen Stimmen sangen: »Klein sein, das ist schön, größer sein noch schöner...« Ich bestellte noch ein Käppchen, es wurde gemütlich.

Um 19.00 Uhr gab es im Konferenzraum des Hotels eine Vorbesprechung zum »Weimarer Salon«. Ich kam als Letzter. An einem langen Tisch saßen der Moderator der Sendung – ein Literaturkritiker – sowie zwei weitere Autoren, die außer mir noch eingeladen waren: ein älterer Mann mit Bart, der Jeans und Turnschuhe trug, und eine mollige Dame in grünem Kleid.

»Ich möchte Sie alle noch einmal kurz an das Konzept meiner Sendung erinnern«, begann der Moderator. »Anders als zum Beispiel früher im *Literarischen Quartett* wird in unserer Sendung das Buch eines Autors von einem anderem Kollegen der Öffentlichkeit präsentiert. Ich nehme an, Sie alle haben die Bücher gelesen, die ich Ihnen geschickt habe.« Der Kritiker knallte einen Stapel Bücher auf den Tisch: den Gedichtband »Dicke Sterne starren mich an« und den

Roman »Böse Jungs«. »Ich schlage vor, dass Herr Kaminer den Roman von Frau Müller bespricht und Sie Herr Sondrascheck…«

Ups, dachte ich.

Herr Sondrascheck unterbrach laut: »Also ich habe keines von diesen Büchern gelesen! Ich lese aus Prinzip niemals Zeitgenossen! Nur bei den Toten suche ich manchmal nach Antworten – nicht bei den Lebenden!«

Er ging immer mehr aus sich heraus: »Der Traum jedes Autors ist es doch, die Werke des anderen zu vernichten, nicht sie zu lesen! Und diese These würde ich gern in Ihrer Sendung ansprechen.«

»Na toll«, sagte der Kritiker.

»Ich habe es zwar auch versäumt, die Bücher zu lesen«, mischte ich mich nun ein. »Allerdings nicht aus Verachtung, ich war nur in der letzten Zeit kaum zu Hause…«

»Genau das meine ich!«, rief der Dichter Sondrascheck. »Daran haben Sie wohl nicht gedacht! Dass ein Autor zum Beispiel gar nicht zu Hause ist, dass er vielleicht gar kein Zuhause hat! Vielleicht ist er verliebt und mit einem Mädchen unterwegs! Vielleicht kann er überhaupt nicht lesen, vielleicht…«

»Hören Sie auf«, unterbrach ich ihn. »Ich habe durchaus ein Zuhause und war nicht mit Mädchen

sondern beruflich unterwegs. Ich lese gerne Zeitgenossen, nur eben diesmal nicht – es war eher ein Unfall!«

Aus unserer Runde hatte nur Frau Müller alles gelesen, sie wollte aber nicht mit uns darüber sprechen.

»Und Sie?« Der Moderator wandte sich Frau Müller zu.

»Ich?«, wunderte sich Frau Müller.

»Sie, Sie haben noch gar nichts gesagt!«

»Muss ich ja auch nicht.«

»Müssen Sie nicht. Aber Sie haben die Bücher gelesen!«

»Ja.«

»Und?«

»Was und?«

»Und was sagen Sie dazu?«

»Was soll ich denn dazu sagen?«

»Gut«, sagte der Moderator, »ich ändere mein Konzept. Wenn ihr so seid, dann soll doch jeder sein eige-
nes Buch selbst vorstellen. Ist mir doch egal.«

»Das nächste Mal laden Sie mich allein ein, ich
werde dieses Jahr sechzig Jahre alt, ich brauche keine
Begleitung!«, fing der Dichter Sondrascheck wieder
an. »Im Übrigen muss ich jetzt aufs Zimmer und mich
ein wenig hinlegen. Bin heute aus Wien angeflogen
und fühle mich nicht wohl. Rotz, Husten, leichtes

Sodbrennen…« Mich fragte er dann: »Was kann das sein? Habe ich eigentlich schon erwähnt, dass ich dieses Jahr sechzig werde?«

»Haben Sie«, sagte ich.

»Genau wie Mick Jagger«, erklärte er. »Weißt du übrigens, dass ich eine Lederhose von Keith Richards besitze? Es war so: Einmal gingen wir, also ich, Keith Richards und die… na, wie hieß sie noch mal?«

»Madonna?«, versuchte ich vorsichtig zu helfen.

»Nee, Madonna kam später dazu…«

Wir verabschiedeten uns am Lift.

Ich ging ins Restaurant, um mich weiter auf die Sendung vorzubereiten. »Ein Käppchen?«

»Ein Doppel-Käppchen!«

Eine Stunde später saßen wir alle verkabelt in einem MDR-Studio. Herr Sondrascheck sprach von Büchern zeitgenössischer Autoren, die er nie lesen würde. Er erzählte, dass er Fernsehen doof fände und selbst kein Fernsehgerät besäße. Anschließend las er seine Gedichte vor: »Alles ist lächerlich – außer der Sonne!«

Ich unterstützte den Dichter und schlug ihm vor, noch während der Sendung unsere Bücher gegenseitig zu vernichten und das Leben von vorne anzufangen. Der Moderator hatte anscheinend von uns beiden die Nase voll. Er konzentrierte sich auf Frau Müller, die aber stoisch keinen Mucks von sich gab. Der Moderator lief zu Gestapo-Hochform auf:

»In Ihrem Roman wird doch eine Liebesgeschichte erzählt...«

»Jawohl«, gestand Frau Müller.

»Ein homosexueller Rechtsanwalt verliebt sich in eine debile Putzfrau, obwohl er doch homosexuell ist...«

»Na und?«, wiegelte Frau Müller ab.

»Mich würde nun in erster Linie die Figur der debilen Putzfrau interessieren.«

»Aha«, sagte Frau Müller.

»Es scheinen ja zwei Menschen zu sein... die in einer Figur gleichzeitig existieren...«

»Jup«, gab Frau Müller zu.

»Und nun zu Ihrer Sprache... Sie haben noch nichts zu Ihrer Sprache gesagt...«

»Muss ich auch nicht«, meinte Frau Müller.

»Aber vielleicht wollen Sie etwas zu Ihrer Sprache sagen?«

»Nee«, sagte Frau Müller.

»Habe ich doch gesagt!«, schaltete sich Herr Sondrascheck ein. »Ein Autor kann seine eigenen Werke eben nicht beurteilen, das sollen die Leser und ihr Literaturkritiker machen. Laden Sie mich doch das nächste Mal alleine ein! Sie verschwenden nur Ihre Zeit!«

Die Sendung war ein großer Erfolg. Das Publikum amüsierte sich über alle Maßen, und auch die Beteiligten schienen zufrieden zu sein. Anschließend gingen alle zurück in das Restaurant, um die gelungene Aufzeichnung des »Weimarer Salons« zu feiern.

»Ich werde nichts rausschneiden!«, versicherte der Moderator.

Herr Sondrascheck bestellte Rotwein, ich Käppchen, Frau Müller trank stilles Wasser.

»Sonst werde ich ja betrunken«, erklärte sie.

»Ich werde bald sechzig, schreiben Sie darüber mal was«, sagte der Dichter zum Moderator-Literaturkritiker. »Habe ich schon erwähnt, dass ich die Hose von Keith Richards habe? Der Hoteldirektor mag mich. Er hat mir extra ein Videogerät aufs Zimmer gestellt und eine Fernsehdokumentation über Nabokov für mich aufgenommen. Schön, nicht wahr?«

»Ich dachte, Sie kucken kein Fernsehen«, entgegnete ich.

»Nur im Hotel, wenn ich unterwegs bin, aber dann werde ich richtig süchtig und ziehe mir alles rein! Morgen muss ich weiter nach München und habe eigentlich noch so gut wie nichts von Erfurt gesehen«, seufzte er.

»Ich kann Ihnen alles erzählen«, sagte ich: »Also, Erfurt, auch als Blumenstadt bekannt, ist die größte und älteste Stadt Thüringens. Die Amerikaner haben nach 1945 Thüringen gegen West-Berlin eingetauscht ... «

»Haben wir etwa vorhin denselben Taxifahrer erwischt?«, wunderte sich Herr Sondrascheck.

Ich wollte ihm daraufhin etwas über Köln erzählen. Aber Herr Sondrascheck war selbst schon überall gewesen und kannte alles. Er hatte sogar als Sechzehnjähriger mit Dürrenmatt gesoffen. In Köln war Herr Sondrascheck in einem Boxring aufgetreten, er hatte seine Gedichte vorgelesen und sich dabei bis auf die Unterhose ausgezogen.

Um Mitternacht gingen alle Künstler ins Bett. Ich träumte schwer, als hätte ich mich in der Blumenstadt Erfurt verlaufen. Die Straßen waren kaum beleuchtet, kein Mensch weit und breit. Herr Sondraschek saß auf einer Bank, er trug die Uniform der sowjetischen Armee.

»Du darfst dich nicht verarschen lassen«, sagte er wütend zu mir. »Und hör auf, Käppchen zu trinken, das ist doch Schwulen-Wasser! Trink Bier oder Wein... Übrigens, habe ich schon erwähnt, wie lächerlich das alles hier ist?«

»Haben Sie«, bestätigte ich.

»Alles lächerlich – außer der Sonne... Na dann, pass auf dich auf, Junge.« Der Dichter zwinkerte mir zu.

Als ich aufwachte, schaute ich sofort aus dem Fenster. Die Sonne stand hoch, sie war rund und gelblich – sah lächerlich aus.

Hegel
(Münster, Bonn, Ende)

Immer mehr Buchhandlungen in Deutschland sind Mitglied in der sich ständig ausbreitenden *Phönix*-Kette, egal was für Namen an ihren Eingangstüren stehen. Auch die Buchhandlung in Münster erwies sich als eine weitere *Phönix*-Filiale. Dieser Globalisierungsvogel wird wahrscheinlich eines Tages alle anderen Arten schlucken. Vielleicht aber auch nicht. Mein Gastgeber, der Buchhändler in Münster, war an einem Gespräch über die Globalisierung in Deutschland und die Probleme des modernen Buchhandels gar nicht interessiert.

Gleich nach der Lesung gingen wir in eine amerikanische Bar mit Cowboy-Fotos an den Wänden. Nachdem wir die ersten Getränke in uns hineingeschüttet hatten, entpuppte er sich als leidenschaftlicher Philosoph. Bis Mitternacht saßen wir da und sprachen über Hegel, Heidegger, Kierkegaard, Adorno und Horkheimer und die Möglichkeit beziehungsweise Unmöglichkeit der Erkenntnis mittels der Philosophie. Der Buchhändler zitierte die Philosophen seitenlang, konnte sich aber mit keinem von ihnen so richtig anfreunden. Er hatte zum Thema Welterkenntnis eine gespaltene Meinung. Als großer Wittgenstein-Bewunderer vertrat er gleichzeitig zwei Thesen, die sich gegenseitig ausschlossen. Einerseits bestand der Buchhändler auf der Unmöglichkeit der Welterkenntnis. Andererseits schien diese, abgesehen vom Bücher verkaufen, seine Hauptbeschäftigung zu sein. Gegen ein Uhr nachts waren wir nahe daran, ein ganz neues Weltbild mit Hilfe von Wittgenstein und Co. zu erschaffen, aber da ließen mich meine Philosophiekenntnisse im Stich.

»Wie verkauft sich eigentlich der neue Krimi von Mankell?«, fragte ich meinen Gesprächspartner, um ihn ein wenig abzulenken.

»Ach, hören Sie auf!«, winkte der Buchhändler ab.

»Wie nun?«, insistierte ich.

»Gut«, sagte der Buchhändler, »sehr gut.«

Dann schwiegen wir eine Weile.

»Merkwürdig. Es gibt hier im Lande so viel mehr Kriminalität als in Schweden und auch Krimi-Autoren, die vom Stoff her dasselbe schreiben, jedoch arbeitslos und erfolglos bleiben. Dann kommen ausgerechnet die Schweden und kassieren die ganze Kriminalroman-Kohle ab. Dabei haben die da oben nicht einmal eine eigene Philosophieschule«, bemerkte der Buchhändler. »Wollen Sie nicht mal einen Kriminalroman schreiben?«, fragte er mich.

»Ich bin im Moment zu sehr mit meinen Reisen beschäftigt und arbeite an einem so genannten ›Deutschen Dschungelbuch‹, einer Studie über das Land und die Menschen hier. Keine Zeit also für Krimis«, entschuldigte ich mich. »Morgen, zum Beispiel, muss ich nach Bonn.«

»Bonn?«, wunderte sich der Buchhändler, »ich dachte, alle Bonner sind längst in Berlin. Da sind wahrscheinlich nur ein paar Arbeitslose übrig geblieben.«

Am nächsten Morgen im Zug zweifelte auch ich ein wenig an Bonn. Die ehemalige deutsche Hauptstadt musste bestimmt einen großen Teil der Bevölkerung durch den Regierungsumzug eingebüßt haben, unter anderem viele potenzielle Zuhörer. Ob überhaupt noch welche da waren? Und ob sie abends zur Lesung kamen?

Doch schon am Bonner Bahnhof herrschte ein lustiges Durcheinander. Eine Armee von Mädchen überschwemmte die Bahnsteige: Mädchen mit Rucksäcken, mit einem Brötchen oder einer Wurst in der Hand, dicke und dünne, große und kleine Mädchen liefen und standen herum. Wäre ich ein Maler mit

Ideen, wie Rembrandt zum Beispiel, dann hätte ich bestimmt meine Staffelei mitten auf dem Bahnhof aufgestellt. Als Schriftsteller holte ich nur meine Bahnfahrkarte aus der Tasche und notierte auf der Rückseite: »Bonn – eine Mädchenstadt.« Ist zwar Quatsch, aber wer weiß, vielleicht wird mir diese Information bei irgendeiner Geschichte helfen, dachte ich unterwegs zum Hotel.

An dem Tag sollte ich im Bonner *Pantheon* auf Einladung eines begabten jungen Autors namens Jess zusammen mit zwei lokalen Matadoren die Leserunde bestreiten. Wir trafen uns im Hotel, und Jess beruhigte mich: Die Veranstaltung sei bereits ausverkauft.

»Die Regierung ist nicht ganz nach Berlin gezogen, viele Beamte sind weiterhin in der Ex-Hauptstadt geblieben, also definitiv keine Arbeitslosigkeit in Bonn.«

Ich erzählte ihm von den vielen Mädchen am Bahnhof.

»Siehst du«, meinte Jess, »das Leben brummt hier immer weiter. Ein Bahnhof ist für eine Stadt sowieso viel wichtiger als eine Regierung. Erst wenn der Bonner Bahnhof auch noch nach Berlin umzieht, wird die Stadt schließen müssen«.

Es klang überzeugend. Abends im *Pantheon* gaben wir zu viert eine gute Show ab: Der eine Kollege erzählte von kleinen Kindern, von Vaterfreuden und Familienglück. Der andere las etwas über einen vom Zug zerfleischten Selbstmörder, überfahrene Eichhörnchen und vergiftete Weine. Jess selbst konnte seine Zunge unglaublich weit herausstrecken und versetzte das Publikum mit dieser Nummer immer wieder in Begeisterung. Tolle Künstler gibt es in Bonn. Es war also ein gelungener Abend.

Am nächsten Morgen musste ich Deutschland verlassen. Nicht für immer, nur für kurze Zeit. Auf Einladung des Goethe-Instituts sollte ich in Amsterdam ein wenig Werbung für deutsche Sprache und Kultur machen. Mittlerweile vergeht kein Monat, ohne dass ich eine Einladung von einem Goethe-Institut aus irgendeinem Winkel der Erde bekomme. Amerika, England, Estland, Island, Tschechien, Schweden und Dänemark haben sich schon gemeldet. Moskau und Peking, Rom und Paris ebenfalls. Aber darüber darf ich in einem »Deutschen Dschungelbuch« nicht schreiben. Es könnte missverstanden werden und die Beziehungen Deutschlands zu den anderen Ländern belasten. Also werde ich wohl ein neues Arbeitsfeld eröffnen müssen – womöglich ein Weltdschungelbuch.

Hier nur so viel zu Amsterdam: Dort gibt es genauso wie in Bonn kaum Arbeitslose, laut Statistik nur 2,7 %, dafür aber ganz viele Künstler und fast eine Million Menschen, die vorübergehend arbeitsunfähig sind, das heißt über Rückenschmerzen oder Seelsorgen klagen. Sie bekommen ein wenig Geld vom Staat und arbeiten an ihrer Gesundheit. Die Kunst gilt in Holland als das beste Heilmittel: Tanzen hilft, aber auch malen. Diese Kleinkünstler sind nicht unbedingt alle Rembrandts, aber darauf kommt es auch nicht an. Hauptsache gesund. Denn Rembrandt war zwar groß und erfolgreich, starb aber jung und arm. Nicht einmal seine Grabstätte ist bekannt. Zwar steht an der Mauer einer Kirche »Hier war Rembrandt begraben« und viele naive Touristen denken, die Knochen des Meisters sind noch immer da. Doch Rembrandt hatte kein Geld, um seine Grabstätte im Voraus zu bezahlen. Ein junger Manager von der *Bank Amsterdam* hatte plötzlich Zweifel an seiner Zahlungsfähigkeit, er glaubte nicht an den dauernden Erfolg des Meisters und strich ihm vorsichtshalber seinen Kredit. Der Platz an der Mauer war nur für zwei Wochen bezahlt. Danach wurde Rembrandts Leiche ausgegraben und zusammen mit anderen armen Leichen weggeschleppt. Niemand weiß, wo sie jetzt liegt. Die *Bank Amsterdam* dagegen ist immer noch auf dem alten Platz, ein Haus mit Traditionen, die fast bis ins Mittelalter reichen.

Damals hat in Holland der Kapitalismus die Kunst besiegt. Heute scheint die Kunst zu siegen. Die Künstler von heute, die sich mit malen von Rückenschmerzen befreien wollen, sind sogar kreditwürdiger als der alte Meister. Die Beziehung zur deutschen Sprache ist in Amsterdam problematisch. Eine junge Frau, die ich auf der Straße auf Deutsch ansprach, um sie nach dem Weg zu fragen, antwortete mir: »Sorry, I don't speak Holland.«

Zu der Lesung im Saal des Goethe-Instituts kamen immerhin drei Dutzend Interessierte. Sie schauten mich an, wie man einem entflogenen Papagei auf der Straße nachkuckt: Soll man ihn mit nach Hause nehmen oder zur Polizei bringen? Ich war mir nicht sicher, ob sie mich überhaupt verstehen würden, und erkundigte mich gleich als Erstes danach. »Keene Bang mijn Jong, we wüllt ju schon verston« oder so ähnlich brummte der Saal. Echte Bengel, diese Holländer.

Weiter im Weltdschungelbuch ...

Jede Ähnlichkeit mit lebenden oder toten Personen
ist weder beabsichtigt noch gewollt.
Ihr Autor.